ANNE GARDON

LE GOURMET AU JARDIN

FLEURS COMESTIBLES • FINES HERBES • PETITS FRUITS

Guy Saint-Jean
ÉDITEUR

Table des matières

HORS D'ŒUVRE ET ENTRÉES 15

POTAGES 32

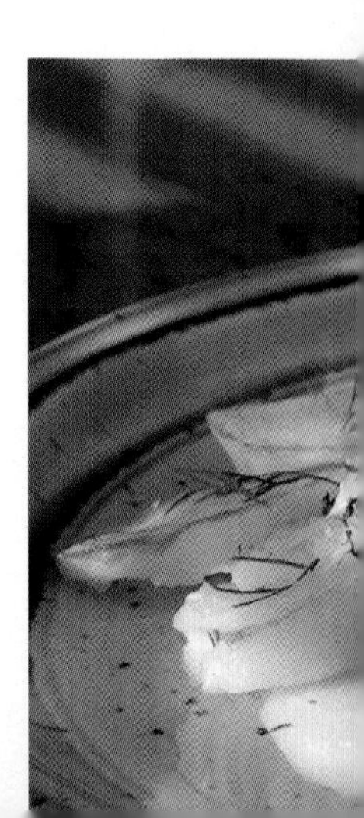

PLATS LÉGERS 42

VIANDE ET POISSON 69

LES DOUCEURS 96

INDEX 116

Avant-propos

J'ai deux amours, comme le chantait Joséphine Baker, mon jardin et la bonne chère. Aussi, mon plus grand bonheur est de me promener dans mon jardin, un panier à la main, de récolter au passage des fleurs, des herbes et des petits fruits, puis de rentrer à la maison et de préparer un festin.

Mes recettes sont simples, faciles et rapides. Si j'aime surprendre mes invités avec des saveurs inédites, je ne vais pas me priver de leur compagnie pour m'affairer dans la cuisine à préparer des mets compliqués. Et si je prends plaisir à ajouter une touche de fantaisie à mes assiettes, je préfère lire un bon livre plutôt que passer de longues heures à cristalliser des fleurs insipides pour décorer mes gâteaux.

Pour moi, cuisiner est avant tout un plaisir, une détente. Un bon repas est un cadeau que j'offre à mes invités et non une démonstration de prouesses culinaires.

Pas de préparations ou de présentations élaborées donc dans ce recueil, mais des recettes simples, des trucs de cuisine, des idées pour aiguiser votre imagination et des conseils de jardinage, glanés au fil des saisons et de mes expériences.

Bon appétit et bon jardinage!

Anne Gardon

INTRODUCTION
Le jardin du gourmet

La capucine

Dans mon jardin, les herbes aromatiques poussent parmi les fleurs comestibles et les petits fruits servent d'accent, de bordure ou d'arrière-plan aux vivaces.

Mon sens pratique et ma gourmandise me poussent à utiliser le plus d'espace possible pour les plantes comestibles, sans pour autant sacrifier le côté esthétique. Ainsi l'estragon fait une très belle ceinture de verdure à des rudbeckies qui se mêlent au feuillage vaporeux de l'asperge. Le chèvrefeuille et la monarde attirent les oiseaux-mouches pour mon plus grand ravissement tout en me fournissant leurs délicieuses fleurs. Les tagètes et les capucines fleurissent mon potager, protègent mes légumes des insectes nuisibles et décorent mes assiettes. Les pommiers trônent au milieu de massifs de fleurs.

Mon jardin est comme ma cuisine: exubérant, coloré, spontané, un peu fou mais surtout savoureux.

DES FLEURS À TOUTES LES SAUCES

Pour décorer et embellir une assiette, rien n'égale la beauté des fleurs. Malheureusement, la majorité des fleurs comestibles — et elles sont nombreuses — ont autant de goût que la laitue iceberg.

Quelques-unes seulement ont un véritable intérêt culinaire.

La capucine (*photo ci-dessus*): la plante entière (feuilles, fleurs et fruits) est comestible. Sa saveur est poivrée et légèrement acidulée. Les feuilles et les pétales émincés relèvent les salades vertes, les plats de pâtes ou de riz. Les boutons floraux et les fruits verts et tendres, marinés dans du vinaigre, peuvent remplacer les câpres.

La ciboulette: ses fleurs ont une saveur d'oignon, comme ses feuilles mais en plus doux. Délicieuses avec la purée de pommes de terre, dans les salades, les sandwichs, les plats à base de fromage et d'œufs, partout où l'oignon a sa place.

La monarde: les oiseaux-mouches en raffolent, et moi aussi. Les feuilles fraîches ou séchées font un excellent thé. Les fleurs, dont la saveur poivrée et épicée rappelle la menthe, se marient bien avec les viandes et parfument agréablement les desserts.

Le souci ou calendula: ses pétales d'un orange vif sont légèrement poivrés. Ils décorent joliment les potages, les salades et colorent le riz comme le safran. J'en fais sécher pour cet usage.

La tagète ou œillet d'Inde: je préfère la variété miniature (Tangerine Gem, Lemon Gem et Lulu) à saveur d'agrume plutôt que la grosse fleur de tagète au goût trop puissant. La variété miniature est aussi plus jolie.

L'hémérocalle: elle pousse à l'état sauvage sur les bords des chemins et une multitude de cultivars ornent les jardins. Certains cultivars sont d'ailleurs amers ou légèrement toxiques et ne devraient pas être consommés. Choisissez seulement l'hémérocalle orange pour la cuisine.

Il ne faut pas oublier les **fleurs de légumes et d'herbes**. Les fleurs de

Page ci-contre: sauge ananas

Le chèvrefeuille

roquette et de coriandre sont délicieuses, comme celles du brocoli. Eh oui! le brocoli fleurit, si on lui en donne le temps. Les fleurs de basilic ont la même saveur que les feuilles en plus sucrées.

Le romarin et la sauge ananas fleurissent en hiver pour apporter une touche de fantaisie à mes plats nourrissants.

Les fleurs de courge: très populaires en Italie et dans le Midi de la France, les fleurs de courge sont sans doute les fleurs comestibles les plus connues. Il existe des variétés de courges cultivées spécialement pour leurs fleurs, qui sont grandes et charnues. Mais vous pouvez savourer les fleurs de toutes les courges, en prenant soin de choisir les fleurs mâles et non les fleurs femelles qui produisent les fruits.

Comment les reconnaître? Facile! Regardez à l'intérieur. La fleur mâle présente une étamine en forme de lance (pour ne pas dire d'organe mâle). La fleur femelle présente un pistil en forme de couronne.

Fleurs cristallisées

S'il n'est pas dans mes habitudes de cristalliser les fleurs, j'ai quand même maîtrisé la technique. Voici donc comment procéder.

Avec une fourchette, battez un blanc d'œuf jusqu'à ce qu'il soit à peine mousseux. À l'aide d'un pinceau, badigeonnez délicatement des pétales de fleurs (pensée, rose, bourrache, dianthus, chèvrefeuille...) puis saupoudrez avec du sucre cristallisé (n'employez pas de sucre à glacer qui donne un effet terne). Laissez sécher au soleil ou à l'entrée d'un four tiède. Vous pouvez conserver les fleurs cristallisées pendant quelques jours dans un contenant hermétique (boîte à biscuits).

Beurres aromatisés

Pour préserver la saveur des fleurs, préparez des beurres à la monarde, à la capucine et au géranium odorant. Mélangez du beurre ramolli non salé avec des pétales ou des feuilles finement hachés. Façonnez en cylindre ou déposez des cuillerées sur une plaque à biscuits et congelez. Conservez au congélateur dans des sacs. Utilisez pour tartiner, pour aromatiser des desserts et comme glaçage à gâteau.

Congélation

Les pétales de monarde et de souci, comme les fleurs de ciboulette, se congèlent bien. Étalez les pétales ou les fleurs sur une plaque à biscuits et faites congeler. Conservez dans des contenants rigides pour ne pas les endommager. Utilisez pour aromatiser et décorer.

CHOISIR LES BONNES FLEURS

Il est important d'utiliser des fleurs qui n'ont pas été traitées avec des produits chimiques, celles de votre jardin ou celles vendues dans les magasins d'alimentation.

Voici une liste non exhaustive des fleurs comestibles:

- Achillée
- Agastache
- Bourrache
- Calendula (souci)
- Camomille
- Capucine
- Centaurée
- Chèvrefeuille
- Chrysanthème
- Ciboulette
- Dianthus et œillet
- Églantine et rose
- Fleurs de pommier
- Géranium
- Glaïeul
- Hémérocalle
- Hibiscus
- Hosta
- Lavande
- Lavatère
- Marguerite
- Monarde
- Matricaire
- Mauve
- Pensée et violette
- Pois de senteur (annuel)
- Pissenlit
- Sureau
- Tagète (œillet d'Inde), choisir la variété pumila moins forte
- Tournesol
- Tulipe

Parmi celles-ci, j'aime particulièrement l'**agastache** pour son goût anisé. Les feuilles hachées parfument agréablement les salades, les fruits de mer et les desserts. Les fleurs macérées dans la vodka (4-5 fleurs pour 1/2 litre) donnent un alcool à saveur de pastis. Mélangé à du jus de fruits ou additionné d'un peu de sucre et servi sur des glaçons, l'alcool d'agastache fait un délicieux apéritif.

La **matricaire** est une autre de mes plantes favorites. Dans mon jardin, cette bisannuelle se ressème d'elle-même sans devenir envahissante. Elle fleurit tout l'été et tard dans l'automne, égaie les coins les plus sombres, tolère les sols les plus divers et protège les autres plantes des insectes nuisibles. Vaporisé sur les plantes, le thé de matricaire est un excellent insecticide biologique. En cuisine, j'utilise la matricaire avec parcimonie, car elle est forte, soit une ou deux fleurs hachées finement pour relever les vinaigrettes ou des pétales parsemés sur les salades. Je fais sécher les fleurs justes écloses pour faire des infusions, excellentes contre les maux de tête.

La matricaire

LES PLANTES TOXIQUES

S'il est bon de connaître les plantes comestibles, il est impératif de savoir identifier les plantes toxiques.

Voici une liste partielle de fleurs non comestibles et dont certaines sont franchement toxiques.

- Aconit
- Pervenche de Madagascar
- Crocus d'automne (colchique)
- Muguet
- Delphinium ou Pieds-d'alouette
- Cœurs-saignants
- Digitale
- Poinsettia
- Jasmin de Caroline
- Glycine
- Hortensia
- Iris
- Pois de senteur vivace
- Lupins
- Narcisses, jonquilles
- Primevère
- Renoncule et bouton d'or
- Rhododendron et azalées

Les fines herbes

Je suis née en Provence, autant dire dans le thym et la lavande. Les fines herbes ont donc toujours été en vedette dans ma cuisine. Mais de pouvoir les cultiver moi-même me donne accès à toute une nouvelle gamme de saveurs, que je me délecte à explorer. Ah! une compote de pommes au basilic citron, un pot-au-feu à la livèche ou encore de l'agneau parfumé à la verveine.

Les fines herbes sont faciles à cultiver, elles protègent les autres plantes des insectes nuisibles et certaines sont très décoratives. Trois arguments de plus pour leur trouver une place dans votre jardin.
Dans le mien, on trouve:

Aneth
Basilic
Coriandre
Estragon
Livèche
Menthe
Raifort
Sarriette
Thym

Je cultive certaines plantes aromatiques en pots (marjolaine, romarin, laurier-sauce, sauge, origan, géranium odorant, verveine) car ce sont des vivaces tendres qui ne supportent pas les températures trop froides. Pendant les mois d'hiver, je les garde dans une pièce très éclairée, à une température moyenne de 15 °C.

Conservation

Je congèle l'estragon, la livèche, le géranium odorant et la verveine, crus dans des sacs à congélation dont je retire l'air avec une paille. Je récolte l'estragon principalement au printemps. J'enlève les tiges dures pour ne conserver que les feuilles. Je récolte les jeunes pousses de livèche, les feuilles tendres de géranium et de verveine tout au long de la belle saison.

Je congèle la menthe, la mélisse et la monarde dans la glace. Je hache les feuilles, j'en remplis les alvéoles d'un bac à glace et je couvre d'eau. Une fois congelés, je conserve les glaçons dans des sacs. Il me suffit d'en jeter un ou deux dans de l'eau chaude pour obtenir une délicieuse infusion.

Je conserve le basilic en pesto (page 54).

Je parfume des beurres salés — comme les beurres de fleurs — avec l'estragon et l'aneth, tous deux excellents avec les volailles et les poissons, et la menthe pour l'agneau grillé.

Je fais sécher le romarin, la marjolaine, le thym, la sarriette, la sauge pour la cuisson, le basilic cannelle, le basilic citron, la verveine, la menthe et la monarde pour les infusions.

Je récolte les graines de livèche — vertes pour congeler ou brunes pour sécher —, de coriandre et d'aneth.

Séchage

Les herbes sont séchées dans un endroit chaud, sec et à l'abri de la lumière, soit sur un grillage fin (moustiquaire), soit dans des sacs de papier suspendus. Il me suffit ensuite de frotter le sac pour détacher les feuilles séchées des branches. Cette méthode est plus efficace avec des herbes à faible teneur en eau, telles que le romarin, le thym, la sarriette. Les feuilles molles, de la menthe ou de la monarde par exemple, prennent plus de temps à sécher et risquent de moisir dans le sac.

Voici quelques idées de mélanges d'herbes:

- romarin, marjolaine, thym, sarriette, origan pour les sauces à base de tomates, la pizza, les mets italiens;
- graines d'aneth, basilic citron, thym pour les volailles, les poissons, les fruits de mer;
- graines de livèche écrasées mélangées à du sel pour remplacer le sel de céleri.

Bouquet d'herbes

Groseilles rouges

Les petits fruits

Les fraises

Je ne cultive pas de fraises, parce qu'elles demandent beaucoup de soins et parce que les fraiseraies abondent dans ma région. Je ne congèle pas de fraises non plus, sauf en coulis (réduites en purée au mélangeur et additionnées de sucre), parce que les fraises entières décongelées n'ont pas belle apparence et perdent beaucoup de goût. Mais je me gorge de ces fruits en saison.

Les framboises

Si la fraise n'est que rouge, la framboise peut aussi être jaune, orange, pourpre et même noire. Cette dernière, à ne pas confondre avec la mûre, est rarement cultivée, mais se trouve en abondance dans les champs et à l'orée des bois. Elle contient plus de graines que la framboise rouge, aussi j'en fais des jus, des sirops et des gelées.

Les framboisiers forment une haie bordant mon potager. Ils fournissent abondamment au début de l'été et un peu à l'automne. Les fruits très sucrés et très parfumés se congèlent bien — étalés sur une plaque à biscuits, congelés puis conservés dans des contenants rigides — gardant toute leur saveur et leur belle apparence.

Les groseilles

La famille des groseilles comprend plusieurs membres. La groseille rouge (parfois jaune) est petite, acidulée et convient bien aux gelées d'herbes. La groseille noire est connue sous le nom de cassis et on en fait une liqueur qui entre dans la composition du kir. La groseille à maquereau est plus grosse, aux teintes violacées lorsqu'elle est mûre. Elle fait merveille dans les plats de viande. Certains de mes groseilliers ont une dizaine d'années et forment de magnifiques buissons verts, qui se couvrent d'une multitude de grappes rouges en été.

Le bleuet (airelle ou myrtille)

Le bleuet a un goût fin qui se marie bien avec le porc et le gibier. J'en cultive quelques plants décoratifs, une variété basse qui forme un joli couvre-sol en bordure de mon jardin d'ombre, fleurit abondamment au printemps mais refuse de faire des fruits; une variété arbustive que j'ai taillée pour lui donner une forme orientale, genre bonsaï, et qui me fournit tout au plus une tasse de fruits par année. Mais leur beauté me suffit. Les bleuets se congèlent comme les framboises, avec d'aussi bons résultats.

Des poids, des volumes — une mesure

La logique voudrait que les ingrédients solides (farine, sucre, beurre…) soient indiqués en poids (grammes). Mais tout le monde n'a pas une balance à portée de la main.

J'ai donc choisi de vous présenter les mesures selon le système le plus pratique que je connaisse, celui des tasses et des cuillerées. J'ai fait quelques exceptions et indiqué certains ingrédients en poids — les viandes, les fromages, notamment — pour faciliter les achats.

Équivalences
1 tasse = 250 ml
1 cuillerée à soupe = 15 ml
1 cuillerée à thé = 5 ml

Boutons de tournesol en vinaigrette

Vous connaissez bien sûr les graines de tournesol, mais saviez-vous que la fleur de tournesol se mange lorsqu'elle est en bouton? Charnue et avec un goût rappelant l'artichaut, elle peut être servie en entrée ou comme légume d'accompagnement. Il faut cependant la faire cuire dans deux ou trois eaux pour enlever son amertume. Choisissez les jeunes boutons — de la grosseur d'un abricot — qui poussent sur les côtés de la tige en laissant le bourgeon terminal. Votre fleur n'en sera que plus imposante.

Préparez cette entrée à la dernière minute, car en refroidissant, la chair des boutons prend une teinte vert fluo assez surprenante.

INGRÉDIENTS

12 boutons de tournesol

2 c. à soupe de jus de citron

1 c. à soupe de moutarde

1/4 tasse d'huile d'olive

Sel, poivre

Faites bouillir une grande casserole remplie d'eau et jetez-y les boutons de tournesol. Ramenez à ébullition et faites cuire 2 minutes. Jetez l'eau et recommencez l'opération. Goûtez et répétez si les boutons sont encore amers.

Mélangez le jus de citron et la moutarde. Incorporez l'huile en battant pour bien lier la vinaigrette; salez, poivrez au goût.

Versez sur les boutons de tournesol, mélangez et servez immédiatement.

Vous pouvez également les servir avec la sauce gribiche (page 88).

Fromage de yogourt à l'achillée

Il est important de choisir un yogourt de lait entier et non écrémé sans gélatine ou autre épaississant ajoutés, sinon vous ne pourrez pas en extraire le liquide (petit-lait). Le yogourt de chèvre ne convient pas non plus. Ne jetez pas le petit-lait, riche en sels minéraux. Utilisez-le dans des soupes ou dans des boissons fraîches.

Cueillez les fleurs d'achillée juste écloses tôt le matin ou tard le soir lorsque l'air s'est rafraîchi.

INGRÉDIENTS

- 2 tasses de yogourt nature
- 2 c. à soupe de fleurs d'achillée millefeuille
- 1 c. à thé de sel
- Poivre

Mélangez tous les ingrédients. Versez dans un sac à gelée ou dans une passoire tapissée de coton à fromage ou de mousseline et laissez égoutter 12 heures au réfrigérateur.

Servez frais.

Ce fromage délicat est excellent en hors-d'œuvre et dans des sandwichs.

DONNE 1 TASSE.

Variante: remplacez l'achillée par des herbes au goût puissant comme le thym, le romarin, la sarriette.

L'achillée

Elle s'appelle achillée parce que Achille, le héros grec, aurait utilisé les feuilles de la plante pour soigner ses soldats. L'achillée a en effet de nombreuses propriétés médicinales. Antiseptique et cicatrisante, c'est la plante remède des maux du jardinier, piqûres, égratignures, ecchymoses. Dès que j'ai une petite blessure ou qu'un insecte m'a piquée, je récolte une poignée de feuilles fraîches que j'écrase dans un mortier avec un peu d'eau. J'applique cette pommade sur le bobo et en quelques minutes, je suis soulagée.

Les jeunes fleurs et les fines feuilles de l'achillée ont une saveur poivrée et puissante. Utilisez-les avec parcimonie pour relever les salades et les vinaigrettes. Et n'en

consommez pas plus de trois fois par semaine, car une plus grande consommation peut provoquer des maux de tête et des vertiges.

Au jardin, l'achillée est une vivace rustique qui aime les sols secs et le plein soleil. Il existe plusieurs cultivars aux teintes allant du jaune au pourpre qui ont aussi leur place dans mon jardin. Mais pour la consommation, je n'utilise que les fleurs de l'achillée sauvage. J'ai transplanté quelques plants dans mes plates-bandes et dans le potager où ils attirent des insectes bénéfiques. Les feuilles sont un bon activateur de compost et un bon fertilisant en solution concentrée.

Faites macérer des feuilles fraîches d'achillée dans de l'eau pendant 2 semaines. Filtrez et diluez 1:10. Utilisez pour arroser ou vaporiser vos plantes potagères.

D'autres plantes peuvent entrer dans cet engrais liquide naturel: la grande consoude, le pissenlit (feuilles et racines), l'ortie, la tanaisie, le plantain, les chardons... toutes ces «mauvaises» herbes que vous pensiez inutiles!

Bouchées de fromage à la fleur de ciboulette

INGRÉDIENTS

250 g de fromage à la crème

12 fleurs de ciboulette

1/2 tasse de feuilles de ciboulette hachées

Faites durcir le fromage une dizaine de minutes dans le compartiment à glace du réfrigérateur pour faciliter la manipulation.

Détachez les fleurs de ciboulette de leur tige, gardez ces dernières pour faire les supports.

Humidifiez vos doigts et formez des boules de fromage de la grosseur d'une cerise, roulez la moitié des boules dans les fleurs de ciboulette et l'autre moitié dans les feuilles hachées.

Piquez un bout de tige dans chaque boulette. Servez frais.

DONNE UNE DOUZAINE DE BOUCHÉES.

Beignets de fleurs et d'herbes

Servez ces savoureuses bouchées avec l'apéritif... dans le jardin évidemment!

PÂTE À BEIGNET

1 oeuf, jaune et blanc séparés

1 c. à soupe de farine

1/4 tasse d'eau ou de bière

Sel, poivre

Huile à friture

1 tasse de fleurs: souci, ciboulette, courge, hémérocalle, hosta

1 tasse de feuilles: basilic, menthe, mélisse, brins d'estragon

Fouettez le blanc d'œuf en neige, ajoutez le jaune, fouettez à nouveau.

Saupoudrez de farine et fouettez en incorporant lentement l'eau ou la bière. Salez, poivrez au goût.

Nettoyez les fleurs et les herbes en évitant de les laver, car l'eau et l'huile chaude ne font pas bon ménage.

Trempez les fleurs et les herbes dans la pâte et faites cuire à grande friture. Faites seulement quelques beignets à la fois, car ils cuisent en quelques secondes.

Servez immédiatement.

DONNE 6-8 PORTIONS.

La ciboulette

La ciboulette fait de jolis massifs de fleurs lilas en mai et juin. De grands papillons tigrés viennent alors la butiner en compagnie d'une multitude d'autres insectes ailés. J'en ai planté un peu partout dans mon jardin et sa floraison prolongée accompagne celle des iris, des pivoines et des clématites.

De la famille des liliacées, la

Bouchées de fromage à la fleur de ciboulette

ciboulette est cousine de l'ail, de l'oignon et du poireau.

Elle prospère en plein soleil ou à la mi-ombre, dans une terre riche ou pauvre. Autant dire qu'elle est à l'aise à peu près partout. Elle est du plus bel effet dans les rocailles. Vivace et très rustique, la ciboulette se multiplie rapidement, se ressème un peu partout sans toutefois devenir envahissante.

Le goût subtil des feuilles et des fleurs relève à merveille les préparations à base d'œufs, les vinaigrettes et les sauces. Parsemez-en vos salades et vos soupes froides, ajoutez-les à vos sandwichs, décorez-en vos plats de pâtes.

Spirales au feta et aux herbes

J'ai toujours de la pâte feuilletée au congélateur. Pratique, rapide, polyvalente et ma foi bonne au goût, la pâte feuilletée du commerce se prête à mille et un usages, du classique millefeuille à ces croustillantes spirales pleines de saveur. La pâte se travaille mieux si elle est très froide.

INGRÉDIENTS

- 100 g de fromage feta, crémeux si possible
- 1 c. à soupe d'huile d'olive
- 3 c. à soupe de fines herbes fraîches en mélange: thym, romarin, sarriette, marjolaine, ciboulette
  ou
  2 c. à soupe de pesto (page 54)
- Sel, poivre
- 1 paquet (396 g) de pâte feuilletée du commerce

Préchauffez le four à 200 °C (400 °F).

Mélangez le fromage, l'huile et les herbes. Salez si nécessaire, poivrez.

Étalez la pâte en 2 rectangles (chaque paquet contient 2 blocs de pâte) de 25 x 15 cm.

Tartinez le mélange de fromage et d'herbes sur chaque rectangle et roulez pour obtenir 2 cylindres de 15 cm de long. Coupez en tranches de 2 cm d'épaisseur et disposez les spirales sur une plaque à biscuits.

Faites cuire 10 minutes, retournez les spirales et faites cuire 10 minutes de plus. Servez chaud.

DONNE ENVIRON 12 SPIRALES.

Variante: remplacez le feta par un chèvre ou un fromage bleu.

Nids à la ricotta et aux herbes

Comme la pâte feuilletée, la pâte filo est facile à utiliser et se prête à de nombreuses variantes salées et sucrées. Vous pouvez recongeler une ou deux fois un paquet de pâte filo entamé. Mais ne le conservez pas trop longtemps, car les feuilles sécheront.

INGRÉDIENTS

- 450 g (2 tasses) de fromage ricotta crémeux
- 1/4 tasse de fines herbes fraîches ciselées: basilic, menthe, estragon, mélisse, marjolaine
- Sel, poivre
- 2 feuilles de pâte filo*
- Huile d'olive
- 1 c. à thé de fines herbes séchées

**À défaut de pâte filo, utilisez de la pâte à brik.*

Mélangez la ricotta et les fines herbes fraîches, salez, poivrez au goût. Réservez.

Préchauffez le four à 190 °C (375 °F).

Étalez une feuille de pâte filo, badigeonnez d'huile d'olive et saupoudrez avec les herbes séchées. Placez la deuxième feuille par-dessus et coupez en croix pour faire 4 carrés.

Placez les carrés de pâte dans des moules à muffins ou à tartelettes et faites cuire au four pendant 15 minutes ou jusqu'à ce que les nids soient dorés. Laissez refroidir.

Placez les nids sur les assiettes de service et remplissez avec le mélange de fromage et herbes. Arrosez d'un filet d'huile d'olive et servez frais.

DONNE 4 PORTIONS.

Variante: ajoutez des fleurs de ciboulette.

Tzatziki

Voici une entrée très rafraîchissante qu'il est facile d'emporter en pique-nique.

INGRÉDIENTS

- 1 concombre anglais
- 1 c. à soupe de sel
- 1 tasse de yogourt nature
- 15 feuilles de menthe, ciselées
- 10 brins de ciboulette, ciselés
- 2 gousses d'ail
- Poivre

Pelez le concombre et coupez-le en tranches minces. Dans une grande passoire, faites une couche de concombre, saupoudrez avec un peu de sel. Répétez l'opération jusqu'à épuisement des ingrédients. Couvrez avec une assiette ou une serviette, placez la passoire dans l'évier et laissez égoutter une heure.

Rincez soigneusement les tranches de concombre à l'eau fraîche. Égouttez et séchez avec un linge ou des serviettes en papier.

Émincez l'ail ou écrasez-le au presse-ail, hachez finement les herbes.

Mélangez le concombre, le yogourt, l'ail et les herbes. Salez si nécessaire, poivrez et réfrigérez au moins une heure avant de servir frais.

La menthe

Les Anglais l'associent à l'agneau et les Français aux petits pois, les Arabes en font un thé qu'ils servent brûlant et les jardiniers s'enivrent du parfum de ses feuilles qu'ils froissent au passage. Différentes variétés de menthe — poivrée, orange, chocolat — poussent dans mon jardin au milieu des hémérocalles qui limitent leur exubérance naturelle. J'utilise les feuilles fraîches pour parfumer les limonades et relever les salades, assaisonner certains plats de viande et les desserts au chocolat.

Les feuilles peuvent être séchées ou congelées — remplissez des bacs à glace de feuilles hachées, recouvrez d'eau et faites congeler — pour faire de délicieuses tisanes et limonades.

Toutes les menthes ont les mêmes vertus stimulantes, digestives et antiseptiques.

Rouleaux de printemps à la menthe

Ces délicieux rouleaux orientaux sont frais, légers et nourrissants. Ils se mangent avec les doigts, en amuse-gueule, en hors-d'œuvre ou en repas léger.

INGRÉDIENTS

- 300 g de filet ou de poitrine de poulet
- 2 c. à soupe de sauce soja
- 2 c. à soupe d'huile de sésame
- 1 morceau de gingembre de la grosseur d'une noix
- 100 g de vermicelle de riz
- 1/2 concombre anglais
- 3 oignons verts
- 12 feuilles de menthe
- 12 galettes de riz de 15 cm de diamètre
- Sel, poivre
- Huile à cuisson

Coupez le poulet en 12 lanières longues et minces. Mélangez la sauce soja, l'huile de sésame et le gingembre haché finement ou écrasé avec un presse-ail. Ajoutez le poulet et laissez mariner pendant que vous préparez les autres ingrédients.

Écrasez grossièrement les vermicelles avec vos mains et recouvrez-les d'eau bouillante. Laissez reposer 10 minutes jusqu'à ce qu'ils soient tendres. Égouttez, rincez à l'eau froide et mélangez avec un peu d'huile de sésame pour empêcher les pâtes de s'agglutiner.

Pelez le concombre, épépinez-le et coupez-le en bâtonnets de 10 cm de longueur. Coupez les oignons verts en tronçons de 10 cm puis en deux sur le sens de la longueur.

Faites chauffer un peu d'huile dans une poêle antiadhésive et faites rissoler les morceaux de poulet à feu vif, 2 minutes de chaque côté. Couvrez, retirez du feu et laissez la cuisson se terminer en douceur et le poulet refroidir.

Dans un grand bol rempli d'eau tiède, faites ramollir 2-3 galettes de riz à la fois. Égouttez-les et séchez-les à plat sur un linge.

Placez une galette sur la surface de travail, disposez un morceau de poulet, deux bâtonnets de concombre, de l'oignon vert, un peu de vermicelle et une feuille de menthe au centre. Roulez en serrant mais sans déchirer la galette. Gardez au frais pendant que vous garnissez les autres galettes. Servez avec une trempette à la sauce soja (voir salade thaïlandaise, page 64).

DONNE 12 ROULEAUX OU 24 BOUCHÉES.

Hémérocalles farcies

J'aime les hémérocalles parce qu'elles sont faciles à cultiver, fleurissent abondamment et pendant longtemps, même si chaque fleur ne dure qu'un jour — d'où leur nom de «lis d'un jour» — parce que leur feuillage est attrayant et enfin parce qu'elles sont absolument délicieuses.

INGRÉDIENTS

- 1 tasse de fromage de chèvre crémeux
- 1 jaune d'œuf
- 1 tasse de verdure hachée (cresson, épinards, roquette)
- 1 c. à soupe de basilic ou d'estragon haché
- Sel, poivre
- 12 fleurs d'hémérocalle
- 12 brins de ciboulette
- 2 c. à soupe d'huile d'olive

Mélangez le fromage, le jaune d'œuf, la verdure et le basilic ou l'estragon. Salez, poivrez au goût.

Coupez le bout du pédoncule de chaque fleur et enlevez le pistil et les étamines. Remplissez avec le fromage assaisonné. Attachez les pétales avec un brin de ciboulette.

Faites chauffer l'huile d'olive dans une poêle antiadhésive. Faites revenir les fleurs rapidement — 5 à 6 secondes — de chaque côté pour les flétrir légèrement. Servez immédiatement.

La même farce peut être utilisée pour les fleurs de courge.

Pousses et racines d'hémérocalle

Les racines et les très jeunes pousses d'hémérocalle sont également comestibles. Les racines sont pourvues de nodules, à la peau jaune et à la chair blanche et croustillante comme celle des radis. Les pousses sont poivrées et croquantes.

Aussi intéressantes qu'elles puissent être au niveau culinaire, ces parties de l'hémérocalle sont difficiles à récolter et longues à préparer.

Ce que vous voyez ici m'a demandé une heure d'efforts pour être déterré, dans un sol presque gelé il faut dire. Et j'ai passé une autre heure à nettoyer ma récolte.

La petite entrée que j'ai préparée avec — effeuillade de pousses, rémoulade de racines et poisson fumé — a certes impressionné mes invités et ma curiosité a été satisfaite, mais là s'est arrêtée mon expérimentation avec les racines d'hémérocalle. Je me contente maintenant de récolter quelques jeunes pousses au printemps pour relever mes salades.

La gougère est une pâte à choux additionnée de fromage. En Bourgogne, on la sert traditionnellement avec les dégustations de vins.

Gougère aux herbes

INGRÉDIENTS

1/4 tasse de beurre
1 tasse d'eau
1/2 c. à thé de sel
1 tasse de farine
4 œufs
1/2 tasse d'herbes fraîches hachées (estragon, basilic, ciboulette, marjolaine)
1/2 tasse de cheddar fort râpé
1 œuf battu

Préchauffez le four à 190 °C (375 °F).

Dans une casserole, combinez le beurre, l'eau et le sel. Portez à ébullition.

Ajoutez la farine d'un seul coup et mélangez énergiquement avec une cuillère en bois jusqu'à ce que la pâte se détache de la casserole. Hors du feu, ajoutez les œufs un à un, en mélangeant soigneusement entre chaque addition. Pour faciliter cette opération musclée, utilisez un batteur électrique.

Incorporez les herbes et le fromage râpé. Mélangez bien.

À l'aide d'une poche à douille ou d'une cuillère, disposez des boules de pâte de la grosseur d'une noix sur une plaque à biscuits, en laissant environ 5 cm entre chacune.

Badigeonnez le dessus d'œuf battu si vous voulez un fini brillant et faites cuire pendant 35 à 40 minutes, jusqu'à ce que les choux soient dorés.

Avec un couteau pointu, percez chaque chou pour laisser échapper la vapeur. Laissez la plaque dans le four éteint avec la porte ouverte, afin que les choux sèchent et deviennent fermes et croustillants. Sinon, ils vont s'affaisser.

Servez comme accompagnement d'une salade ou d'une entrée ou encore avec une soupe réconfortante pour un repas complet.

DONNE 12 À 18 CHOUX SELON LEUR GROSSEUR.

Variante: façonnez la gougère en couronne et garnissez l'intérieur de légumes grillés.

Médaillons de chèvre au basilic

Choisissez un fromage ferme pour éviter qu'il fonde à la cuisson.

INGRÉDIENTS

1 fromage de chèvre, type bûche
1/2 tasse de chapelure
Huile d'olive pour la cuisson et la finition
2 grosses tomates mûres mais fermes
Sel, poivre
12 feuilles de basilic émincées

Coupez la bûche en 12 tranches en éliminant les extrémités. Avec votre main ou une spatule, écrasez légèrement les tranches pour les agrandir. Roulez-les dans la chapelure.

Dans une poêle antiadhésive, faites chauffer 2 c. à soupe d'huile d'olive. Faites dorer les tranches de fromage, quelques secondes, de chaque côté.

Coupez les tomates en tranches épaisses. Conservez seulement les quatre plus grosses (utilisez le reste dans une autre recette). Disposez une tranche sur chaque assiette, salez, poivrez. Disposez trois tranches de chèvre sur chaque tomate, garnissez de basilic et arrosez d'un filet d'huile d'olive. Servez immédiatement.

DONNE 4 PORTIONS.

Crème froide à l'avocat et à la coriandre

Préparez cette crème onctueuse et rafraîchissante juste avant de la servir car l'avocat noircit rapidement.

INGRÉDIENTS

- 2 avocats bien mûrs
- Jus et zeste de 1 citron vert
- 1 tasse de feuilles de coriandre
- 1 tasse de babeurre ou de yogourt nature
- 1 petit piment (type chili) épépiné*
- 2 tasses d'eau
- Sel, poivre

Mettez tous les ingrédients (sauf le sel et le poivre) dans le bol d'un mélangeur et réduisez en crème à haute vitesse. Salez, poivrez au goût. Servez frais.

J'aime ce potage froid très épais, mais vous pouvez le diluer en ajoutant un peu d'eau. N'oubliez pas alors de rectifier l'assaisonnement.

DONNE 4 PORTIONS.

** Utilisez des gants pour épépiner le piment.*

Crème de bourrache

Attention: les femmes enceintes ou qui allaitent ne devraient pas consommer de bourrache.

Les feuilles de bourrache ont une saveur de concombre. Hélas, elles sont aussi velues et peu agréables au palais quand elles sont crues. Pour profiter néanmoins de l'action purifiante de la bourrache — excellente pour le teint — et de son goût subtil, je prépare ce potage froid sur le même principe que la crème froide à l'avocat.

Je remplace simplement les deux avocats par une tasse de feuilles de bourrache crues hachées et 1 concombre pelé et épépiné. Je réduis en crème au mélangeur et je passe à travers un fin tamis afin de retirer les particules en suspension.

Décorez avec des fleurs de bourrache et servez frais.

Crème froide de courgettes à l'estragon

INGRÉDIENTS

- 1 c. à soupe de beurre
- 1 c. à soupe de farine
- 2 tasses de lait
- 3 courgettes râpées
- 1/3 tasse d'estragon ciselé
- Sel, poivre

Faites fondre le beurre dans une grande casserole. Saupoudrez de farine, remuez et faites cuire 1 minute à feu moyen.

Mouillez avec le lait. Portez à ébullition puis ajoutez les courgettes. Mijotez 10 minutes. Salez, poivrez.

Réduisez en crème au mélangeur avec l'estragon. Laissez refroidir.

Servez froid saupoudré d'estragon frais.

DONNE 2 PORTIONS.

Crème de petits pois à la menthe

La menthe accentue la douceur des petits pois sans dominer leur goût subtil. Ce potage frais et léger est idéal pour un pique-nique.

INGRÉDIENTS

- 4 tasses de petits pois écossés, frais ou congelés
- 1 1/2 tasse d'eau
- 1 c. à soupe de sucre
- Sel
- 1/2 tasse de crème à 10 % ou de babeurre
- 10 feuilles de menthe
- Sel, poivre

Faites cuire les petits pois dans l'eau jusqu'à tendreté avec le sucre et une pincée de sel.

Combinez les pois et leur eau de cuisson avec la crème et la menthe et réduisez en crème au mélangeur, salez, poivrez. Ajoutez un peu d'eau si le potage est trop épais.

Servez frais.

DONNE 4 PORTIONS.

Tom-li-zuc

Drôle de nom, n'est-ce pas? Mais je ne savais vraiment pas comment appeler ce potage fait de tomates, de livèche et de courgettes ou zucchini.

Lorsque j'ai déménagé à la campagne il y a maintenant une dizaine d'années, je ne savais rien de la culture des légumes. Naïvement, j'ai planté 4 plants de tomates cerises et semé toutes les graines de mon sachet de courgettes la première année. Si vous êtes jardinier, vous connaissez les conséquences de ces gestes imprudents. Au mois de septembre, j'étais submergée de tomates et de courgettes. J'ai donc combiné mes surplus avec des feuilles de livèche et j'ai créé le Tom-li-zuc, un de mes potages préférés.

Une petite note sur les tomates cerises. À mon avis, les meilleures sont les Sweet 100, tant au niveau du goût que du rendement. Elles sont sucrées comme des bonbons et les enfants en raffolent!

INGRÉDIENTS

- 4 tasses de tomates cerises
- 2 courgettes moyennes, en tronçons
- 2 branches de livèche
- 2 tasses d'eau
- Sel, poivre
- Huile d'olive

Mettez les tomates, les courgettes, la livèche et l'eau dans une grande casserole et salez au goût. Portez à ébullition, puis mijotez jusqu'à ce que les courgettes soient tendres, environ 15 à 20 minutes. Ou combinez tous les ingrédients dans un autocuiseur et faites cuire 1 minute.

Passez au moulin à légumes manuel ou à travers une fine passoire pour retirer la peau et les graines des tomates.

Assaisonnez de sel, poivre et d'un filet d'huile d'olive. Servez frais ou chaud.

Ce potage se congèle bien.

DONNE 4 PORTIONS.

Gaspacho aux herbes

Le mot, d'origine arabe, signifie «pain trempé» et le vrai gaspacho espagnol est épaissi avec de la mie de pain. Je préfère utiliser de la gélatine, pour un gaspacho à la fois moelleux et croquant en bouche ainsi que plaisant à l'œil.

Le choix des légumes peut varier pour refléter vos goûts et les trésors de votre potager.

INGRÉDIENTS

- 1 sachet (1 c. à soupe) de gélatine sans saveur
- 1/2 tasse d'eau froide
- 2 tasses de jus de tomates ou de légumes
- 1 concombre
- 4-5 radis
- 1 branche de céleri
- 1 tasse de fines herbes fraîches hachées: persil, coriandre, basilic, ciboulette, mélisse, menthe
- 1 gousse d'ail
- 1 petit piment (type chili) épépiné*
- Jus de 1 citron
- 1/4 tasse d'huile d'olive
- Sel, poivre

Faites ramollir la gélatine dans l'eau froide pendant 2 minutes puis faites chauffer lentement pour la dissoudre ou passez-la 1 minute au micro-ondes à maximum. Combinez avec le jus de légumes et faites prendre en gelée au réfrigérateur, environ 1 heure.

Hachez les légumes et les herbes et incorporez le tout au jus de légumes.

Ajoutez le jus de citron, l'huile d'olive et mélangez bien. Salez, poivrez au goût et servez très frais, avec des quartiers de citron et arrosé d'un filet d'huile d'olive.

DONNE 4-6 PORTIONS.

* *Utilisez des gants pour épépiner le piment.*

Crème de haricots blancs à la sarriette

La sarriette séchée conserve tout son arôme et prend donc un rôle important dans la cuisine d'hiver. Elle assaisonne les viandes grillées, les farces et les plats mijotés. Elle relève la douceur des haricots blancs dans ce potage crémeux, tout en réduisant les flatulences par son action carminative.

INGRÉDIENTS

- 1 oignon émincé
- 1 c. à soupe d'huile d'olive
- 2 tasses de bouillon de poulet
- 1 boîte de haricots blancs (540 ml), égouttés et rincés
- 2 c. à soupe de sarriette d'été fraîche ou 1 c. à soupe de sarriette séchée
- Sel, poivre
- Croûtons

Faites revenir l'oignon dans l'huile chaude jusqu'à ce qu'il soit transparent, environ 1 minute.

Ajoutez le bouillon, les haricots et la sarriette. Salez, poivrez. Portez à ébullition puis mijotez 5 minutes.

Réduisez en crème au mélangeur. Rectifiez l'assaisonnement et servez chaud avec des croûtons revenus dans l'huile d'olive ou de la gougère aux herbes (page 31).

DONNE 2-3 PORTIONS

La sarriette

Connue pendant l'Antiquité et cultvée dans les jardins de Charlemagne, la sarriette est une herbe de la Méditerranée, aux arômes forts comme le soleil et épicés comme l'air de la garrigue, où on retrouve des effluves de thym, de camphre et de menthe. Elle fait partie des herbes, pas moins d'une centaine, qui composent la célèbre Chartreuse.

Stimulante et, dit-on, aphrodisiaque, la sarriette est aussi carminative (elle réduit les flatulences) ce qui la rend précieuse dans les plats de légumineuses.

Il existe deux espèces, la sarriette annuelle et la sarriette vivace. La sarriette vivace (une vivace tendre qui supporte mal les hivers rigoureux) a un arôme plus fort et une texture moins agréable que l'espèce annuelle.

Pour le plaisir, je cultive quelques hybrides comme cette jolie sarriette rampante, mais pour la cuisine, j'utilise essentiellement la sarriette annuelle.

Potage à l'ail

Ce potage rapide est excellent pour soigner les rhumes. Pour plus d'effet, doublez la quantité d'ail.

INGRÉDIENTS

- 2 c. à soupe d'huile d'olive
- 2 gousses d'ail
- 3 tasses de bouillon de poulet
- 1/4 tasse d'orzo*
- 1/4 tasse de fromage râpé: parmesan, gruyère ou cheddar
- marjolaine ou persil frais

**Orzo: minuscules pâtes italiennes en forme de riz. Il peut être remplacé par une tasse de riz cuit.*

Dans une casserole, faites chauffer l'huile et faites revenir l'ail haché finement ou écrasé au presse-ail, 30 secondes à feu moyen, en remuant.

Ajoutez le bouillon et portez à ébullition. Ajoutez l'orzo et faites cuire à feu moyen jusqu'à ce que les pâtes soient cuites, environ 5 minutes.

Servez saupoudré de fromage et de marjolaine ou de persil.

DONNE 2-3 PORTIONS.

Variante: omettez l'orzo et versez le potage sur des tranches de pain grillé.

L'ail

On peut dire que l'ail fut à l'origine des déboires militaires de Napoléon. L'Empereur était en effet sur le point d'anéantir les Autrichiens lorsqu'il fut pris de violentes douleurs d'estomac. Certain d'avoir été empoisonné, il arrêta son avancée vers la Bohême, permettant ainsi à ses ennemis de se regrouper et, plus tard, de le battre à Waterloo. L'empoisonnement était en fait une indigestion due à un ragoût largement assaisonné d'ail. Les grands événements de l'histoire tiennent parfois à peu de choses.

Probablement originaire de l'Asie centrale, l'ail est une des plantes les plus anciennement utilisées. Les Babyloniens le consommaient abondamment. Les Égyptiens s'en servaient comme monnaie d'échange — 15 livres d'ail valaient un esclave en bonne santé — les Vikings en emportaient dans leurs grandes traversées et, durant la Deuxième Guerre mondiale, les soldats soviétiques en frottaient leurs blessures pour éviter l'infection.

L'ail est en effet antiseptique et antibiotique, en plus d'être tonique, hypotenseur, diurétique et vermifuge. Ses propriétés, comme son odeur caractéristique, sont dues à une essence sulfurée, l'allicine, qui contient également des vitamines, des sels minéraux et des enzymes.

Cru ou cuit, l'ail est un ingrédient essentiel des cuisines méditerranéenne et orientale. Son arôme s'accentue lorsqu'il est haché ou écrasé, mais s'atténue lorsqu'il est cuit. Pour l'adoucir davantage, enlevez le germe qui se trouve au cœur des gousses. L'ail se marie bien avec l'agneau, les escargots et les fruits de mer, les plats mijotés et les sauces (pistou, aïoli). Il parfume les salades, les huiles et les vinaigres. En Provence, on fait rôtir le poulet avec 40 gousses d'ail qui sont ensuite écrasées pour garnir des croûtons.

L'ail se cultive facilement sous nos climats. Choisissez de préférence la variété rose qui se conserve plus longtemps. L'ail aime une terre riche et bien drainée, une exposition ensoleillée. Vous pouvez le planter à l'automne ou au printemps, autour des rosiers qu'il protégera des insectes mais loin des haricots et des pois.

Hémérocalles sautées à l'orientale

En Chine, les hémérocalles sont très utilisées en cuisine et leur culture est une importante industrie dans le nord du pays, où les boutons sont récoltés et séchés. J'ai tenté d'en sécher comme d'en congeler, mais je n'ai pas été impressionnée par les résultats. Ils sont définitivement meilleurs frais. Récoltez-les alors qu'ils sont sur le point d'éclore.

INGRÉDIENTS

- 1 morceau de gingembre de la grosseur d'une noix
- 1/4 tasse de sauce soja
- 1 c. à soupe de jus de citron
- 250 g de poitrine ou de filet de poulet, en cubes
- 2 courgettes
- 1 oignon moyen
- 24 boutons d'hémérocalles
- Huile de cuisson

Émincez ou écrasez le gingembre au presse-ail. Mélangez avec la sauce soja et le citron. Faites mariner le poulet dans cette sauce.

Coupez les courgettes en bâtonnets et l'oignon en rondelles.

Faites chauffer l'huile dans une grande poêle ou un wok. Faites revenir l'oignon à feu vif, 1 minute. Retirez de la poêle et réservez. Faites revenir ensuite les courgettes. Réservez.

Ajoutez 2 c. à soupe d'huile. Égouttez les cubes de poulet (conservez la marinade) et faites-les cuire rapidement pendant 2 minutes. Ajoutez les légumes et les boutons d'hémérocalle, mouillez avec la marinade du poulet et terminez la cuisson (3 minutes) à couvert.

Servez sur un lit de nouilles chinoises ou du riz.

Variante: remplacez les courgettes par des pois mange-tout, ajoutez des champignons coupés en quartiers.

Risotto au souci

Issu du terroir italien, le risotto est un plat campagnard riche en arômes et en saveurs. Il me semblait donc tout indiqué de le composer avec des fleurs. Un risotto peut cependant être garni de jambon, de fruits de mer, parfumé au basilic, à l'estragon, à la livèche. Mais le riz doit toujours être du riz italien, à grains courts.

INGRÉDIENTS

- 2 c. à soupe de beurre
- 1 oignon émincé
- 1 tasse de champignons blancs hachés
- 2 tasses + de bouillon de poulet
- 2 tasses de riz italien
- 1/2 tasse de pétales de souci
- Sel, poivre
- Parmesan râpé

Faites fondre le beurre dans une casserole à fond épais. Faites revenir l'oignon à feu moyen jusqu'à ce qu'il soit transparent, environ 1 minute. Ajoutez les champignons et sautez 3 minutes en remuant fréquemment.

Pendant ce temps, faites chauffer le bouillon séparément.

Versez le riz sur les champignons et remuez pour l'enduire de beurre. Versez le bouillon chaud dessus*, ajoutez les pétales de souci, couvrez et mijotez 20-25 minutes jusqu'à cuisson complète. Salez, poivrez au goût.

Servez saupoudré de parmesan râpé et décoré de quelques pétales de souci.

* *J'avoue faire ici une entorse à la recette traditionnelle de risotto qui demande que le bouillon soit ajouté petit à petit à mesure de son absorption. Cette cuisson donne un riz à la fois crémeux et légèrement croquant. Incorporer le bouillon d'un seul coup donne un riz plus moelleux. Essayez les deux méthodes.*

Le souci

Le souci, ou calendula, est une annuelle vraiment sans «souci». Elle pousse au soleil dans toute bonne terre de jardin et se ressème souvent d'une année à l'autre. Les boutons floraux peuvent être confits au vinaigre comme les boutons de capucine (voir page 46) et remplacer les câpres. Je congèle les pétales — à plat sur une plaque à biscuits puis conservés dans un contenant rigide — pour garnir les soupes et les desserts. Quelques pétales orange vif dans l'assiette me remontent le moral en plein cœur de l'hiver.

Pizza aux capucines

Les capucines apportent du piquant à cette pizza garnie d'autres ingrédients inhabituels comme le chèvre et la courgette. Mais une pizza plus classique, avec poivrons, champignons et mozzarella, prendra elle aussi une touche originale si vous y ajoutez des capucines.

INGRÉDIENTS

- 1 pâte à pizza (50 cm de diamètre)
- 1 petite courgette
- 1 tasse de sauce tomate bien relevée
- 100 g de fromage de chèvre ou de fromage bleu
- 20 fleurs et boutons de capucine
- Huile d'olive

Préchauffez le four à 190 °C (375 °F).

Coupez la courgette en fines rondelles.

Étalez la sauce sur la pâte à pizza, disposez les rondelles de courgettes dessus. Émiettez le fromage avec les mains ou avec une fourchette et parsemez sur la pizza. Ajoutez les fleurs et les boutons de capucines. Arrosez d'un filet d'huile d'olive.

Faites cuire pendant 30 minutes ou jusqu'à ce que la pâte soit croustillante.

Fleurs de capucine farcies

Pour stimuler les papilles gustatives de vos invités, servez-leur ces capucines farcies.

INGRÉDIENTS

- 1 tasse de fromage ricotta
- 2 c. à soupe d'huile d'olive
- 1 c. à soupe d'estragon haché
- 1 c. à thé de ciboulette hachée
- Sel, poivre
- 12 fleurs de capucine

Mélangez le fromage avec les herbes, laissez reposer 1 heure au réfrigérateur. Farcissez les fleurs de capucine avec une poche à douilles. Servez immédiatement.

La capucine

Pour les cinéphiles, Capucine est le nom de l'actrice qui interprète l'épouse de l'inspecteur Clouseau dans le premier film de la série *La panthère rose*. Pour les jardiniers, la capucine est une des plantes les plus faciles à cultiver. Et pour nous, les gourmets, c'est une herbe savoureuse dont les vertus thérapeutiques ne sont pas à dédaigner.

La capucine (*Tropaeolum majus L.*) est une annuelle originaire d'Amérique du Sud. Riches en vitamine C et en sels minéraux, ses feuilles rondes ont un goût poivré et piquant qui rappelle le cresson. Ses fleurs — jaunes, rouges, orange ou roses — sont également comestibles. Les boutons floraux et les fruits verts parfument agréablement le vinaigre et peuvent être marinés pour remplacer les câpres. Les feuilles et les fleurs se consomment crues, en salades, dans les sandwichs à la place de la laitue.

Vous pouvez également en faire une boisson rafraîchissante. Réduisez en purée quelques feuilles et fleurs au mélangeur, ajoutez de l'eau, du jus de citron ou de limette, du sucre.

Mélangez bien, filtrez et servez frais. En boisson comme en salade, la capucine ouvre l'appétit et facilite la digestion.

Jardinage

Les capucines sont très faciles à cultiver. Plantées dans une terre pauvre et sèche, elles produiront une abondance de fleurs, alors que dans une terre riche, ce sera plutôt le feuillage qui se développera. Il ne faut pas les semer trop tôt, car elles craignent le froid. Pour gagner quelques semaines sur l'été, faites des semis à l'intérieur. Semez les graines dans des godets de tourbe, car les racines supportent mal la transplantation. En automne, récoltez les graines et gardez-les pour l'année suivante dans un endroit frais, sec et à l'abri de la lumière.

La capucine a aussi sa place dans le potager puisqu'elle éloigne certains insectes. Plantez-la avec les tomates, les courges, la famille des choux, les pommes de terre et au pied des pommiers.

Fonds d'artichaut à l'estragon

Fonds d'artichaut à l'estragon

Pour obtenir 12 fonds d'artichaut, vous devrez peut-être acheter deux ou trois boîtes (398 ml), car le nombre de fonds varie d'une marque à l'autre et même d'une boîte à l'autre. Vous pouvez aussi les faire vous-mêmes à la saison des artichauts (4 gros artichauts ou 12 petits).

INGRÉDIENTS

- 1/4 tasse de beurre
- 1 c. à soupe de farine
- 1 tasse de lait
- Sel, poivre
- 1 c. à soupe d'estragon haché
- 2 c. à soupe de beurre
- 2 tasses de champignons de Paris émincés
- 12 fonds d'artichaut

Faites fondre la moitié du beurre dans une petite casserole, saupoudrez de farine, faites cuire 1 minute environ à feu moyen puis mouillez avec le lait. Mijotez en remuant jusqu'à ce que la béchamel épaississe. Ajoutez l'estragon, salez, poivrez au goût. Réservez.

Faites fondre 2 c. à soupe de beurre dans une poêle et faites revenir les champignons à feu vif, jusqu'à ce qu'ils soient dorés.

Arrangez les fonds d'artichaut dans un plat allant au four. Garnissez l'intérieur avec les champignons. Salez, poivrez et versez la béchamel dessus.

Faites cuire au four à 190 °C (375 °F) pendant 15 minutes pour réchauffer les fonds d'artichaut puis faites dorer sous le gril.

DONNE 4 PORTIONS.

Variantes: remplacez les champignons par des cubes de jambon ou de poulet cuit, ou encore par un œuf poché.

Pâtes fraîches à l'estragon

Faire des pâtes maison est facile. Une machine à pâtes n'est même pas nécessaire. Vous pouvez utiliser un rouleau à pâtisserie — en pierre de préférence — pour étendre la pâte et un couteau pour la couper. Bien sûr, une machine simplifie la tâche et peut être un investissement judicieux si, comme moi, vous adorez la saveur des pâtes fraîches.

INGRÉDIENTS

- 2 tasses de farine
- 2 œufs
- 1 c. à thé de sel
- 3 c. à soupe d'huile d'olive
- 1/4 tasse de feuilles d'estragon frais hachées finement
- Un peu d'eau froide

Mélangez la farine, les œufs, le sel, l'huile et l'estragon.

Incorporez assez d'eau froide — une cuillerée à la fois — pour former une pâte souple et élastique. Laissez reposer 1 heure au réfrigérateur.

Étalez la pâte très finement et coupez-la en lanières de 1cm de largeur environ.

Faites bouillir une grande casserole d'eau additionnée de sel. Jetez-y les pâtes et faites cuire jusqu'à ce qu'elles soient tendres, 2 minutes devraient être suffisantes. Égouttez et assaisonnez d'un généreux filet d'huile d'olive ou de beurre. Ces pâtes sont délicieuses avec des crevettes grillées.

DONNE 4 PORTIONS.

Variantes:
1. remplacez l'estragon par d'autres fines herbes;
2. remplacez l'eau par une purée de légumes (épinards, courge, tomates) pour des pâtes colorées et au goût différent.

Salade de pommes de terre et morue salée à l'aneth

Cette salade fait une entrée copieuse ou un repas léger.

INGRÉDIENTS

- 500 g de morue salée
- 4 pommes de terre moyennes pelées
- 1/2 tasse d'huile d'olive
- 1/2 tasse d'aneth frais haché
- Sel, poivre

Faites tremper la morue dans de l'eau froide toute la nuit. Rincez soigneusement puis faites-la pocher 5 minutes dans de l'eau frémissante. Égouttez et effeuillez en petits morceaux.

Faites cuire les pommes de terre dans de l'eau bouillante salée jusqu'à ce qu'elles soient cuites mais encore fermes. Découpez-les en tranches assez épaisses.

Faites chauffer la moitié de l'huile dans une grande poêle et faites dorer les tranches de pommes de terre de chaque côté. Salez, poivrez au goût. Disposez les tranches sur les assiettes de service.

Faites chauffer le reste de l'huile et faites dorer la morue à feu vif, 1 minute. Ajoutez l'aneth en fin de cuisson. Déposez la morue sur les pommes de terre, décorez avec quelques brins d'aneth et servez tiède.

Variante: à la place de la morue salée, vous pouvez utiliser des poissons fumés à chaud, maquereau, omble de l'Arctique, saumon.

L'aneth

Condiment essentiel des marinades, l'aneth est une annuelle originaire d'Asie Mineure. Dans l'Antiquité, il faisait l'objet d'un impôt, comme le cumin et les menthes, et les gladiateurs romains se frottaient les membres avec l'huile essentielle d'aneth. Aujourd'hui l'aneth est plus connu pour ses propriétés digestives.

Ses feuilles hachées finement accommodent les pommes de terre, les potages, les poissons. Ses fleurs séchées font de jolis bouquets et ses graines parfument agréablement les infusions, les marinades de viande, les vinaigres, la choucroute.

Dans le jardin, l'aneth est un bon compagnon de la famille des choux qu'il protège d'insectes nuisibles. Mais les carottes ne l'aiment pas. L'aneth est une plante annuelle qui, comme la coriandre, se ressème d'une année à l'autre si on le laisse monter en graine.

Flans de betteraves au basilic

Voici une entrée vraiment spectaculaire et pourtant très facile à faire.

INGRÉDIENTS

- 1/2 tasse de feuilles de betteraves cuites et pressées + 16 feuilles
- 200 g de fromage feta
- 2 œufs, séparés
- 1 tasse de feuilles de basilic
- 2 betteraves bien cuites
- 1/2 tasse de crème légère
- Poivre
- Huile d'olive

Préchauffez le four à 190 °C (375 °F).

Faites cuire les feuilles de betteraves à la vapeur. Gardez 16 belles feuilles pour tapisser les moules.

Écrasez le feta avec une fourchette et mélangez avec les feuilles de betteraves, les jaunes d'œuf et la moitié du basilic. Ou mélangez le tout au robot culinaire.

Fouettez les blancs d'œuf en neige pas trop ferme et incorporez délicatement au mélange précédent.

Huilez 4 ramequins et tapissez avec les feuilles de betteraves en laissant une partie à l'extérieur. Répartissez le mélange dans les ramequins et recouvrez avec les feuilles.

Disposez les ramequins dans un plat allant au four contenant 2 cm d'eau.

Faites cuire au four pendant 30 minutes ou jusqu'à ce qu'un cure-dent inséré au centre du flanc ressorte propre.

Pendant ce temps, réduisez les betteraves, la crème et le reste du basilic en purée au mélangeur. Salez, poivrez au goût. Chauffez lentement sans faire bouillir.

Versez un peu de coulis de betteraves dans chaque assiette, renversez délicatement les flans dessus et servez.

DONNE 4 PORTIONS.

Les basilics

On ne peut plus parler du basilic au singulier. En effet, cette herbe «royale» (le nom vient du grec *basilikon* qui signifie royal) aux belles feuilles vertes a donné naissance à toute une gamme de basilics aux saveurs et aux couleurs différentes. Les feuilles de ces nouvelles variétés sont pourpres, vertes ou bicolores, lisses, dentelées ou frisées. Les fleurs sont mauves ou roses et parfois fort spectaculaires. Cela rend le basilic — ou plutôt les basilics — idéal pour orner les plates-bandes autant que pour décorer le potager.

J'en ai testé plusieurs variétés ces dernières années:

Basilic cannelle: une superbe plante (45 cm) dont les tiges et les fleurs sont pourpre et le feuillage vert brillant. Séché, ce basilic fait une excellente infusion à la légère saveur de cannelle. Il peut également être employé frais pour parfumer des desserts (sorbet, crème anglaise...). Plantez assez serré pour un meilleur effet.

Basilic thaïlandais «Siam Queen»: absolument magnifique comme bordure de plate-bande avec ses grappes de fleurs roses et violettes émergeant d'un feuillage vert élégant. Les plants sont compacts et ne dépassent pas 30 cm. Les feuilles ont un léger goût de réglisse et s'emploient dans la cuisine orientale. Je fais mariner les têtes de fleurs dans du vinaigre de cidre naturel. Le liquide prend une jolie couleur rosée et je l'utilise pour des vinaigrettes.

Basilic africain «African Blue»: très décoratif — la plante ressemble au basilic cannelle — mais je n'ai pas aimé son goût.

Basilic citron: compact, avec des feuilles plus petites que le basilic ordinaire et une délicieuse saveur de citron, idéale pour les salades, les grillades de poisson et les boissons, froides ou chaudes. Sa culture s'est avérée assez difficile — les plants achetés en pépinière comme ceux issus de mes semis étaient vite attaqués par les pucerons — jusqu'à ce que je découvre le basilic citron Sweet Dani. Cette merveille pousse sans problème, atteignant près de 60 cm de hauteur et autant de large. Les feuilles gardent leur saveur citronnée une fois séchées.

Il existe également le basilic grec qui forme une très jolie boule et porte des feuilles minuscules, ainsi que plusieurs variétés de basilic au feuillage pourpre. Ils sont très décoratifs, mais n'offrent rien d'excitant au niveau culinaire.

Pistou et pesto

Le basilic est l'ingrédient principal du pesto italien (avec des pignons) et du pistou provençal (sans pignons).

Pour l'un ou l'autre, écrasez des feuilles de basilic au mortier ou hachez-les finement au robot culinaire, ajoutez de l'ail émincé ou écrasé au presse-ail, du sel et du poivre au goût, du parmesan râpé et assez d'huile d'olive pour former une pâte souple. Pour le pesto, ajoutez des pignons pilés.

Utilisez pour assaisonner des pâtes, des soupes de légumes, pour tartiner sur de la baguette et faire griller.

Si vous désirez congeler du basilic en pesto, faites seulement une pâte avec des feuilles hachées et de l'huile. Incorporez l'ail et le parmesan juste avant de l'utiliser. L'ail prend un goût fort à la congélation et le fromage s'agglutine pour faire des mottes.

Au pesto traditionnel, je préfère le pesto aux tomates rôties surtout pour la congélation, car l'acidité de la tomate aide à conserver toute la saveur du basilic.

Choisissez de belles tomates bien mûres mais fermes, à la chair épaisse. Les tomates italiennes sont toutes indiquées. Coupez-les en deux dans la longueur, ou en gros quartiers pour les tomates rondes. Disposez-les sur une plaque à biscuits, la peau contre le métal. Badigeonnez la chair avec de l'huile d'olive, salez, poivrez et faites cuire au four à 95 °C (200 °F) pendant 4 heures. Les tomates doivent être ratatinées mais pas encore sèches.

Remplissez sans tasser le bol d'un robot culinaire avec des feuilles de basilic, activez par pulsions pour hacher finement, ajoutez assez de tomates rôties pour remplir le bol à moitié. Réduisez en purée à haute vitesse et incorporez une bonne tasse d'huile d'olive en filet en faisant tourner à vitesse moyenne. Salez au goût.

Pour congeler, couvrez l'intérieur de ramequins ou de petites tasses d'une pellicule de plastique, avec 3 cm dépassant sur les bords. Remplissez les ramequins avec la pâte, couvrez avec la pellicule de plastique et faites congeler. Démoulez et conservez dans un sac de plastique ou un contenant rigide.

J'utilise cette pâte de basilic (ce n'est pas encore du pesto) pour mes deux gueuletons favoris.

Sandwich avocat-basilic

INGRÉDIENTS

- 1/2 baguette
- 1/2 tasse de pâte de basilic et tomates rôties
- 4 feuilles de laitue
- 1 avocat bien mûr
- Sel, poivre
- Huile d'olive extra vierge
- Filet de jus de citron

Coupez le pain en deux dans le sens de la longueur. Tartinez un morceau de pâte de basilic et couvrez de feuilles de laitue.

Pelez et dénoyautez l'avocat, coupez en tranches et disposez sur le pain. Salez, poivrez, arrosez d'huile d'olive et de citron.

Vous pouvez aussi garnir ce sandwich de radis en tranches minces et de basilic frais émincé.

Pizza minute

INGRÉDIENTS

- 1 grand pita ou chapati
- 1 tasse de pâte de basilic et tomates rôties
- 1 tasse de fromage mozzarella râpé
- Huile d'olive

Tartinez le pita avec la pâte de basilic, couvrez de fromage, arrosez d'un filet d'huile d'olive et faites réchauffer sous le gril jusqu'à ce que le fromage soit fondu, 3-4 minutes.

Vous pouvez ajouter du jambon ou du pepperoni, des champignons en tranches minces ou des olives noires.

DONNE 1-2 PORTIONS.

Sandwich avocat-basilic

Salade folle aux fruits

Je cultive deux variétés de salades, de la mizuna pour son goût subtil et ses feuilles dentelées, de la roquette (arugula) pour sa saveur piquante et ses jolies fleurs. Mais j'utilise toutes sortes de feuilles pour composer mes salades, tout au long de la belle saison.

Dans cette assiette, il y a du chou frisé tendre et croquant, de jeunes feuilles de betterave et de radis. Les poires ajoutent une touche de douceur à ces feuilles au goût puissant et les fraises parfument agréablement le tout.

Je sers la vinaigrette séparément.

Une variante de cette salade pourrait inclure des feuilles de capucine, des fleurs de brocoli et de ciboulette, de la roquette, du cerfeuil, du basilic, des pommes et des groseilles.

Vinaigrette

Cette vinaigrette épaissie avec du fromage ricotta ou de la crème sûre devient une trempette onctueuse pour des crudités.

Ingrédients

- 1 c. à soupe de moutarde forte
- 2 c. à soupe de jus de citron
- 1/2 c. à thé de sel
- 1/2 tasse d'huile d'olive extra vierge
- 2 c. à soupe de fines herbes fraîches hachées: basilic, estragon, ciboulette

Diluez la moutarde dans le jus de citron, ajoutez le sel et incorporez l'huile d'olive en fouettant pour obtenir une émulsion.

Goûtez et rectifiez l'assaisonnement. Ajoutez un peu d'eau ou de jus de citron si la vinaigrette est trop épaisse.

Incorporez les fines herbes en dernier. Servez en saucière ou mélangez à la salade avant de servir. Attention! Certaines feuilles se flétrissent rapidement au contact de la vinaigrette et les fruits ramolissent.

Salade mexicaine

Hiver comme été, j'ai toujours quelques boîtes de légumineuses — haricots blancs ou noirs, pois chiches, flageolets, fèves — dans mon garde-manger, pour préparer des salades nutritives, des soupes crémeuses ou accompagner des viandes.

INGRÉDIENTS

- 1 courge d'été: pâtisson, courgette, torticolis
- 2 poivrons rouges
- 1/4 tasse d'huile d'olive
- 2 boîtes de haricots noirs (425 g ou 15 oz)
- 1 oignon vert émincé
- 1/2 tasse de coriandre fraîche hachée
- Zeste et jus de 1 citron vert
- Sel, poivre

Coupez la courge et les poivrons en dés.

Faites chauffer un peu d'huile dans une poêle et faites revenir les poivrons à feu vif jusqu'à ce que la peau commence à se colorer. Retirez et réservez.

Ajoutez un peu d'huile si nécessaire et faites revenir la courge à feu moyen, en remuant, jusqu'à ce qu'elle soit saisie de tous les côtés. Éteignez le feu, couvrez la poêle en la laissant sur l'élément chauffant et laissez suer 5 minutes.

Pendant ce temps, égouttez et rincez les haricots noirs.

Mettez tous les ingrédients dans le plat de service, salez, poivrez au goût et mélangez bien. Laissez macérer 1-2 heures au frais avant de servir.

DONNE 4 PORTIONS.

La coriandre

La coriandre est une herbe aromatique à la nature ambiguë. Certains la détestent, lui reprochant son odeur de «punaise» — son nom vient d'ailleurs des mots grecs *koris* et *andros* qui signifient «le mari de la punaise» — d'autres l'aiment à la folie et en mettraient dans tous les plats. Je suis de ceux-là, mais je concède que c'est un goût acquis.

L'histoire de la coriandre est elle-même pleine de contradictions. Vraisemblablement originaire de Méditerranée orientale, elle est mentionnée dans la Bible comme une des plantes amères consommées lors de la Pâque juive. Les Romains l'utilisaient pour conserver les viandes et Charlemagne encouragea sa culture.

Pourtant, la médecine ancienne était très incertaine à son égard. Certains la considéraient comme vénéneuse, alors que d'autres voyaient en elle un simple capable de guérir la peste, l'épilepsie et de rendre l'accouchement indolore. Les uns la disaient aphrodisiaque, les autres tempérante. De quoi y perdre son latin!

Aujourd'hui, la coriandre est

utilisée dans les cuisines mexicaine, thaïlandaise, chinoise, arabe et indienne. La confusion continue. On l'appelle tour à tour persil chinois, persil arabe, cilantro.

Certaines recettes demandent des feuilles de coriandre, d'autres font appel aux graines séchées. Et il n'est pas question de substituer les unes pour les autres, car le goût est totalement différent.

Les feuilles fraîches dégagent à la fois une odeur fétide et anisée. Elles agrémentent les plats mexicains et tex-mex (salsa, guacamole, chili), les soupes orientales, les plats de riz et de haricots secs. Ajoutez-les à la dernière minute pour conserver tout leur parfum.

Les graines séchées ont un arôme qui rappelle un peu celui de l'écorce d'orange. Elles entrent dans la composition de liqueurs telles l'Izarra et la Chartreuse. En cuisine, elles sont utilisées — entières ou moulues — dans les marinades de gibier, les currys, les plats de viande et de légumes. Elle servent aussi à aromatiser les biscuits et les gâteaux.

Enfin, quelques graines de coriandre mâchées font merveille pour neutraliser l'haleine d'ail.

La coriandre est une ombellifère annuelle, qui peut atteindre 60 cm de hauteur. Son feuillage léger et ses minuscules fleurs blanches ou rosées en font un bel ornement au potager comme dans les plates-bandes. Elle a la réputation d'éloigner les pucerons et d'aider la germination de l'anis.

La coriandre aime une exposition ensoleillée et une terre légère et sablonneuse. Elle se ressème souvent d'elle-même. Récoltez les feuilles au besoin et les graines lorsqu'elles ont pris une teinte brunâtre.

Salade de papaye et capucines

La papaye est un de mes fruits préférés et je l'utilise souvent en entrée, assaisonnée d'une bonne vinaigrette. Ses graines noires sont aussi comestibles et peuvent être séchées et utilisées comme condiment.

Le goût poivré des graines m'a immédiatement fait penser à la saveur des capucines, ce qui a donné naissance à cette salade qui ravit toujours mes invités par ses couleurs autant que sa saveur.

Pelez et coupez 1 grosse papaye assez mûre (ou 2 moyennes) en gros cubes.

Préparez une vinaigrette (page 59) en remplaçant le jus de citron par du jus de limette et en choisissant des herbes comme le basilic citron, le basilic thaïlandais, la mélisse et une pointe de gingembre si vous aimez.

Faites macérer la papaye dans la vinaigrette pendant 1 heure puis disposez sur des feuilles de capucine* taillées en lanières. Décorez de fleurs de capucine. Servez frais.

DONNE 2-4 PORTIONS.

** La capucine (feuilles et fleurs) a des propriétés purgatives, toniques, dépuratives et antiseptiques. La plante contient également une substance antibiotique. Les personnes qui digèrent mal le cresson devraient s'abstenir d'en consommer.*

Taboulé aux fleurs

Les fleurs changent selon les saisons… Au printemps, mon taboulé est composé de violettes, pensées, ciboulette, pissenlits et tulipes botaniques. Celui-ci est un taboulé d'été.

INGRÉDIENTS
2 tasses d'eau
1 c. à thé de sel
2 tasses de couscous moyen
1/2 tasse de coriandre ou de persil, hachés ou un mélange des deux
1/4 tasse de menthe hachée
2 tasses de pétales de fleurs: capucine, centaurée, calendula, tagète miniature, onagre, fleurs de coriandre, de basilic et de roquette
1/2 tasse d'huile d'olive
Jus de 1 citron ou 2 limettes
Sel, poivre

Faites bouillir l'eau avec le sel. Ajoutez le couscous, couvrez et retirez du feu. Laissez étuver une dizaine de minutes, puis aérez le couscous avec une fourchette. Laissez refroidir.

Vous pouvez aussi cuire le couscous au micro-ondes. Mélangez l'eau, le sel et le couscous et faites cuire à puissance maximum pendant 2-3 minutes jusqu'à ce que l'eau soit toute absorbée.

Combinez le couscous avec les herbes et les pétales de fleurs. Arrosez avec l'huile et le jus de citron, salez, poivrez au goût et mélangez délicatement. Servez frais.

Salade thaïlandaise

Une râpe japonaise (disponible dans les boutiques orientales) permet de découper le concombre et le radis en fines lanières semblables à des nouilles. J'adore! À défaut, vous pouvez râper le radis avec une râpe à fromage et couper le concombre en bâtonnets.

INGRÉDIENTS

- 1 concombre anglais
- 1 petit radis blanc (daïkon) ou 1 botte de radis roses
- 250 g (environ) de vermicelles de riz
- 4 c. à soupe d'huile de sésame

VINAIGRETTE ORIENTALE:

- 4 c. à soupe de sauce soja
- 2 c. à soupe de vinaigre balsamique
- 1 c. à thé de moutarde forte
- 1/2 tasse de coriandre fraîche hachée (ou de basilic thaïlandais)
- Jus et zeste de 1 citron vert
- Poivre

Pelez le concombre et le radis et coupez en fines lanières.

Faites bouillir 1 litre d'eau avec 1 c. à thé de sel. Jetez les nouilles dans l'eau, retirez du feu et laissez gonfler 10 à 15 minutes jusqu'à ce qu'elles soient tendres. Rincez à l'eau froide et égouttez soigneusement. Arrosez d'huile de sésame et mélangez, ainsi les nouilles ne s'agglutineront pas.

Combinez tous les ingrédients de la vinaigrette et versez sur le concombre et le radis. Mélangez.

Au moment de servir, disposez les nouilles sur les bords du plat de service et la salade de concombre et radis au milieu. Ou servez dans des bols individuels. Décorez de pétales de tagète ou de souci.

Salade de brocoli et feta aux herbes

Cette salade est le parfait exemple du genre de repas léger mais complet que je prépare en quelques minutes. Comme j'ai toujours du feta sous la main durant l'été, je combine ce fromage avec différents légumes.

La combinaison classique est évidemment tomates, feta, concombre et basilic, avec des olives noires et de l'oignon cru pour une véritable salade grecque.

Pommes de terre tièdes, feta, œuf dur en quartiers et estragon est une autre savoureuse combinaison.

Ou encore betteraves, pois chiches (haricots noirs ou autre haricot en boîte), feta, fleurs de ciboulette (beaucoup).

POUR LA RECETTE ILLUSTRÉE ICI:

- 2 tasses de bouquets de brocoli
- 1 tasse de feta ferme, coupé en cube
- 12 olives noires
- 1 tasse de vinaigrette (page 59)
- Fleurs de roquette comme décoration

Faites cuire le brocoli à la vapeur (5 minutes) ou au micro-ondes (2 minutes) jusqu'à ce qu'il soit cuit mais croquant. Rincez rapidement sous l'eau froide pour lui garder sa belle couleur. Égouttez soigneusement.

Mélangez tous les ingrédients et laissez macérer 30 minutes au moins avant de servir.

Cette salade tiède peut faire partie d'un buffet, servir de repas léger ou encore d'accompagnement pour un potage froid.

Salade de flageolets et poulet aux herbes

INGRÉDIENTS

- 2 panais
- 1 petit bulbe de fenouil
- Huile d'olive
- 1/4 tasse de vermouth blanc (Noilly Prat*) ou de vin blanc
- 2 tasses de flageolets ou de haricots blancs en boîte, égouttés et rinsés
- 250 g de poitrine de poulet, desossée et peau retirée
- 1 c. à soupe de fines herbes séchées en mélange (voir page 12)
- Sel, poivre

Pelez les panais et coupez-les en bâtonnets. Coupez le fenouil en tranches épaisses.

Faites chauffer 2 c. à soupe d'huile dans une grande poêle, sautez les panais à feu moyen pendant 2-3 minutes. Ajoutez le fenouil et sautez jusqu'à ce que les légumes commencent à dorer. Ajoutez le vermouth, couvrez et laissez étuver 1 minute. Ajoutez les flageolets, salez, poivrez au goût et réchauffez à feu moyen. Réservez dans le plat de service.

Faites chauffer 2 c. à soupe d'huile dans la poêle et faites dorer le poulet à feu vif, 2-3 minutes de chaque côté. Saupoudrez avec les fines herbes, salez, poivrez, couvrez et étuvez jusqu'à ce que le poulet soit cuit, 2-4 minutes selon l'épaisseur.

Laissez la viande reposer quelques minutes avant de la couper en lanières.

Mélangez délicatement avec les flageolets et les légumes et servez tiède ou froid.

* Le Noilly Prat

J'utilise le Noilly Prat pour déglacer les poêles, en réduction dans les sauces et à la place du Xérès (sherry) ou du vin de riz dans les mets asiatiques. C'est plus facile et plus économique d'en avoir toujours dans mon garde-manger que d'ouvrir une bouteille de vin blanc chaque fois que j'ai besoin d'une petite quantité pour cuisiner.

Fabriqué à Marseillan, près de Sète, le Noilly Prat est plus sec que le vermouth italien et son bouquet exceptionnel est dû à une méthode de fabrication unique au monde. Il est élaboré à partir de vins blancs fruités du sud de la France — Picpoul et Clairette — qui subissent plusieurs phases de vieillissement en fûts de chêne. Une de ces phases se déroule à ciel ouvert pendant un an. Bonifiés par l'action du soleil, des vents marins et des variations de température, les vins sont ensuite combinés et mélangés à des alcoolats naturels de fruits et à une vingtaine d'herbes et d'épices, plutôt qu'à des extraits comme c'est le cas pour les vermouths italiens. C'est ce qui rend le Noilly Prat si attrayant en cuisine car ces arômes d'herbes et d'épices sont conservés, même après évaporation de l'alcool durant la cuisson.

Filets de truite à l'effeuillade de tulipes

Les pétales de tulipes sont comestibles mais leur goût est assez fade, sauf les petites tulipes botaniques à la saveur poivrée. J'utilise ces dernières dans les salades. Mais pour ces filets délicats, je préfère des tulipes aux teintes pastel. Question d'esthétique!

INGRÉDIENTS

8 tulipes, roses de préférence

2 c. à soupe de beurre

4 filets de truite

1/4 tasse de crème épaisse

Sel, poivre

Détachez les pétales des tulipes et coupez la base blanche qui est amère, taillez les pétales en lanières.

Faites fondre le beurre dans une poêle et faites revenir les filets de truite à feu moyen 3 minutes de chaque côté ou jusqu'à ce qu'ils soient cuits. Réservez au chaud dans un plat.

Versez la crème dans la poêle et portez rapidement à ébullition. Salez, poivrez au goût.

Versez la sauce sur les filets et décorez avec les tulipes.

DONNE 4 PORTIONS.

Escalopes de veau panées aux boutons de marguerite

J'utilise essentiellement la marguerite sauvage, blanche à cœur jaune, que je récolte aux alentours de la maison.

Au printemps, je déguste en salade les jeunes feuilles au savoureux goût d'anis. En été, je récolte d'abord les boutons clos pour parfumer des vinaigrettes et des sauces. Je fais sécher les fleurs à peine écloses pour des tisanes, que je préfère à la camomille.

INGRÉDIENTS

- 1 oignon émincé
- 3 tasses de tomates pelées, épépinées et hachées
- 12 olives noires, dénoyautées (si désiré)
- 1 tasse de boutons de marguerite
- 4 escalopes de veau bien minces
- 1 œuf battu
- 1 tasse de chapelure
- Sel, poivre
- Huile d'olive

Faites revenir l'oignon dans 2 c. à soupe d'huile d'olive chaude jusqu'à ce qu'il soit transparent, environ 1 minute. Ajoutez les tomates, les olives et les boutons de marguerite. Salez, poivrez au goût et faites revenir 5 minutes à feu vif et à découvert jusqu'à ce que les tomates soient cuites et leur jus évaporé. Retirez du feu, couvrez et réservez.

Trempez les escalopes dans l'œuf battu puis dans la chapelure. Faites dorer dans l'huile chaude 2-3 minutes de chaque côté.

Servez avec la sauce tomate.

DONNE 4 PORTIONS.

Variantes:
1. à défaut de boutons de marguerite, utilisez 1/4 tasse de câpres hachées;
2. servez la même sauce avec du poisson ou du poulet grillé.

Côtelettes d'agneau à la monarde

INGRÉDIENTS

- 1 c. à soupe d'huile
- 4 côtelettes d'agneau
- 1/2 tasse de vermouth blanc Noilly Prat
- 1/2 tasse de pétales de monarde
- Sel, poivre

Préchauffez le four à 150 °C (300 °F).

Faites chauffer l'huile dans une poêle et faites revenir les côtelettes 2 à 3 minutes de chaque côté. Retirez-les et gardez-les au four chaud.

Versez le vermouth dans la poêle et mélangez bien avec les sucs de cuisson. Faites réduire 1 minute. Salez, poivrez au goût puis ajoutez les pétales de monarde. Versez la sauce sur les côtelettes. Servez avec des haricots verts frais cueillis.

DONNE 4 PORTIONS.

La monarde

Lorsque les colons d'Amérique, exaspérés par les nombreuses taxes imposées par l'Angleterre, jetèrent tout le thé dans le port de Boston lors du célèbre «Boston Tea Party», ils créèrent simultanément les prémices de l'Indépendance et une pénurie aiguë de leur boisson favorite.

Heureusement, les Indiens Oswegos connaissaient des feuilles qui pouvaient servir d'agréable succédané et bientôt la bourgeoisie bostonienne se mit à l'heure du thé d'Oswego. La plante salvatrice était la monarde.

De la famille des menthes, la monarde est originaire d'Amérique du Nord et doit son nom botanique à Nicolas Monardes, médecin espagnol du XVIe siècle qui fut le premier à l'identifier. En dehors des Amérindiens évidemment!

Cette vivace, populaire dans nos jardins, donne de jolies fleurs rouges, roses ou mauves, réunies en bouquet au sommet des tiges. Les feuilles comme les fleurs sont très aromatiques, dégageant un délicieux parfum épicé, et aident la digestion. Dans la pharmacopée amérindienne, la variété *Monarda punctata* était utilisée comme antispasmodique.

En plus de faire un excellent thé et une boisson d'été rafraîchissante, la monarde peut entrer dans une multitude de plats salés et sucrés. Les jeunes feuilles s'utilisent dans les farces et les salades, en petite quantité à cause de leur goût fort. Les fleurs parfument agréablement les salades de fruits. Elles peuvent aussi être incorporées aux gâteaux, aux crêpes et aux biscuits, ajoutant une note de couleur comme de saveur et elles se congèlent bien.

Poitrines de poulet, sauce mangue et framboises

Les framboises et les mangues sont en saison au même moment, ce qui m'a inspiré cette recette.

INGRÉDIENTS

2 c. à soupe de sucre
1/4 tasse de vinaigre de framboises
1/4 tasse de liqueur de framboises
1 tasse de framboises
1 c. à soupe de beurre
1 c. à soupe d'huile
4 demi-poitrines de poulet
1 mangue pelée et tranchée
Sel, poivre

Dans une petite casserole à fond épais, combinez le sucre, le vinaigre et la liqueur de framboises. Portez à ébullition, ajoutez la moitié des framboises. Réduisez le feu et laissez mijoter 10 minutes en écrasant les framboises avec une cuillère. Filtrez dans une fine passoire et réservez.

Dans une grande poêle antiadhésive, faites chauffer le beurre et l'huile. Faites sauter le poulet 1 minute de chaque côté. Salez, poivrez.

Ajoutez les tranches de mangue et la sauce de framboises, couvrez et laissez mijoter 5 à 8 minutes selon l'épaisseur du poulet, jusqu'à cuisson complète.

Ajoutez le reste des framboises entières en fin de cuisson et rectifiez l'assaisonnement. Réchauffez quelques secondes et servez, accompagné de risotto au souci (page 45) ou de pâtes fraîches à l'estragon (page 49).

DONNE 4 PORTIONS.

Vinaigre de framboises

Remplissez à moitié un bocal en verre avec des framboises et versez par-dessus un bon vinaigre de cidre naturel jusqu'au bord. Scellez.

Laissez macérer 1 mois à l'ombre et au frais, en agitant le bocal de temps en temps. Filtrez et conservez dans une bouteille propre.

Liqueur de framboises

Procédez comme pour précédemment, en remplaçant le vinaigre par de la vodka.

Filtrez à travers un coton à fromage ou une mousseline au bout d'un mois et ajoutez un sirop de sucre et d'eau.

La quantité de sucre dépend de votre «dent sucrée», la quantité d'eau si vous voulez une liqueur forte ou peu alcoolisée. Consommez dans les 3 mois.

Rognons aux groseilles à maquereau

INGRÉDIENTS

- 700 g de rognons de veau
- 2 c. à soupe de beurre
- 1/4 tasse de brandy
- 1 tasse de groseilles à maquereau bien mûres
- 1/4 tasse de crème épaisse
- Sel, poivre

Coupez les rognons en morceaux en enlevant les parties blanches du milieu. Rincez à l'eau froide et épongez soigneusement.

Faites fondre le beurre dans une grande poêle, ajoutez les rognons et faites sauter à feu moyen pendant 30 secondes. Ajoutez le brandy et flambez. Couvrez et faites mijoter pendant 2-3 minutes. Les rognons devraient rester légèrement rosés à l'intérieur.

Retirez les rognons avec une écumoire et gardez-les au chaud.

Ajoutez les groseilles à la sauce, portez à ébullition et faites réduire de moitié à feu vif. Ajoutez la crème, salez, poivrez au goût et poursuivez la cuisson jusqu'à ce que la sauce soit onctueuse. Remettez les rognons dans la poêle et réchauffez lentement.

Servez avec du riz ou de la purée de pommes de terre.

DONNE 4 PORTIONS.

Agneau à la verveine

La mangue et la papaye contiennent des enzymes qui attendrissent la viande, ce qui permet de choisir des coupes de viande moins tendres mais plus savoureuses lorsqu'on les emploie dans la cuisson.

INGRÉDIENTS

1 grosse mangue (ou 1 petite + 1 petite papaye)
1 tasse de vermouth blanc Noilly Prat
1/4 tasse d'huile à cuisson
2 oignons moyens, émincés
1 kg de collier ou d'épaule d'agneau en morceaux
1 petit piment fort (type chili), épépiné* et émincé
1 tasse de feuilles de verveine fraîches
Sel, poivre

** Utilisez des gants pour épépiner le piment.*

Pelez et dénoyautez la mangue. Réduisez la chair en purée au mélangeur avec le vermouth. Réservez.

Faites chauffer l'huile dans un grand faitout et faites revenir les oignons jusqu'à ce qu'ils soient transparents. Ajoutez les morceaux de viande et faites saisir de tous les côtés. Ajoutez la purée de mangue et vermouth, le piment et les feuilles de verveine enveloppées dans du coton à fromage. Salez, poivrez au goût.

Mijotez à couvert et à feu très doux pendant 1 heure ou jusqu'à ce que la viande soit tendre. Rectifiez l'assaisonnement en fin de cuisson. Si la sauce est trop liquide, vous pouvez l'épaissir avec un peu de beurre manié (1 c. à thé de farine mélangée à autant de beurre et le tout en pommade). Retirez le sac de verveine.

Pour la cuisson à l'autocuiseur, réduisez le vermouth de moitié et faites cuire 15 minutes.

Retirez la verveine avant de servir sur un lit de riz.

DONNE 4-6 PORTIONS.

La verveine

Nous la connaissons principalement comme tisane. La combinaison verveine-menthe est une infusion populaire. Mais la verveine est aussi, et avant tout, un bel arbuste qui peut atteindre 4,5 m dans son pays natal, le Chili. Sous les climats froids, elle doit être cultivée en pot et mise à l'abri en hiver, dans la maison, au garage ou dans une remise où il ne gèle pas. La mienne, dont voici la photo, a maintenant 5 ans et mesure près de 1 m de hauteur. Je taille les tiges, deux à trois fois durant la belle saison. Je congèle les feuilles les plus tendres et je sèche le reste pour les infusions.

En cuisine, j'utilise les feuilles de verveine — fraîches ou congelées — comme les feuilles de géranium

odorant, pour parfumer le poulet et le poisson cuit à la vapeur, au micro-ondes ou au BBQ (voir requin au BBQ, page 82) pour aromatiser les desserts: pouding au riz, crème anglaise, flans.

Comme la verveine est recommandée pour traiter les indigestions et les ballonnements, l'inclure dans la cuisine est un excellent moyen de favoriser la digestion.

Lapin à l'estragon

Un classique de la cuisine du terroir français, cette recette convient aussi bien pour du poulet.

INGRÉDIENTS

- 1/3 tasse d'huile
- 1 oignon émincé
- 1 lapin de 1 à 1,5 kg coupé en 6 morceaux
- 2 c. à soupe de farine
- 1 c. à thé de sel
- 1/2 tasse de feuilles d'estragon
- 2 tasses de vin blanc sec
- Poivre

Dans une grande cocotte, faites revenir l'oignon dans l'huile chaude jusqu'à ce qu'il soit transparent. Ajoutez les morceaux de lapin et faites dorer de tous les côtés. Saupoudrez de farine et de sel, mouillez avec le vin blanc et ajoutez les feuilles d'estragon et le poivre.

Laissez mijoter à couvert et à feu très doux pendant 1 h 30 à 2 h jusqu'à ce que le lapin soit cuit. Comme le rable cuit plus rapidement que les pattes, vérifiez les morceaux de rable après 1 heure de cuisson et retirez-les lorsqu'ils sont à point.

Rectifiez l'assaisonnement en fin de cuisson et servez avec des pâtes fraîches.

À l'autocuiseur: procédez de la même manière, mais ajoutez seulement 1 tasse de vin blanc et faites cuire 20 minutes.

DONNE 4-6 PORTIONS.

L'estragon

L'estragon est précieux en cuisine. Sa saveur subtile et raffinée parfume à merveille les salades, les mets à base d'œuf, le poulet et le poisson, aromatise les vinaigres et les sauces et n'est pas déplacée dans les desserts.

Son feuillage élégant lui donne le droit de pousser dans mes plates-bandes de fleurs. Vivace rustique, l'estragon aime le soleil et un sol assez sec. Je récolte les jeunes feuilles tout au long de la belle saison. J'en congèle une partie crue dans des sacs de plastique.

Poisson au BBQ

Les fines herbes fraîches ou séchées sont toutes indiquées pour la cuisson au BBQ.

Ici, la daurade a été huilée, salée et généreusement saupoudrée d'un mélange séché (romarin, thym au citron, graines d'aneth et de coriandre écrasées, livèche) puis grillée 6 minutes de chaque côté. Les incisions en diagonale de chaque côté du poisson aident à la cuisson.

Les crevettes ont été marinées pendant 30 minutes dans une sauce faite avec le jus de 1 limette, 1 c. à soupe d'huile d'olive et 2 c. à soupe de feuilles de coriandre hachées finement avant d'être grillées, 5 minutes de chaque côté.

Les herbes fraîches sont particulièrement recommandées pour la cuisson en papillote, qui conserve tout son moelleux aux poissons à chair épaisse, darnes ou filets, tout en les imprégnant d'arômes savoureux.

Je choisis des herbes à saveur citronnée ou anisée (mélisse, citron, basilic thaïlandais, aneth) pour les poissons à chair blanche, de la livèche et de l'estragon pour les salmonidés.

Parce que la saveur du requin est similaire à celle du poulet, j'emploie souvent le basilic avec ce poisson méconnu à la chair blanche et savoureuse. Demandez à votre poissonnier des filets de jeunes requins, plus tendres que les gros spécimens.

Sur une feuille d'aluminium, faites un lit d'herbes (basilic italien et basilic citron en mélange si possible, aneth) déposez la darne ou le filet de poisson dessus. Arrosez d'un généreux filet d'huile d'olive, salez, poivrez légèrement. Couvrez de minces tranches de citron et fermez la papillote.

Faites cuire au BBQ à chaleur moyenne pendant 10 à 15 minutes environ, jusqu'à ce que la chair du poisson s'émiette facilement avec une fourchette.

Servez avec la sauce Romesco (page 84) ou la salsa à la coriandre.

Salsa à la coriandre

INGRÉDIENTS

- 1 mangue bien mûre
- 1 papaye bien mûre
- 1 poivron rouge
- 1 oignon vert émincé
- 1/2 tasse de coriandre fraîche, ciselée
- Zeste et jus de 1 citron vert

Pelez et dénoyautez les fruits. Hachez grossièrement la chair. Épépinez le poivron, enlevez les membranes blanches et hachez grossièrement.

Mélangez tous les ingrédients. Laissez reposer au moins 2 heures avant de servir.

Poulet à la vapeur de géranium odorant

La cuisson à la vapeur est très saine, mais, avouons-le, un peu fade. Aussi, j'ajoute des feuilles de géranium odorant (ou de verveine). Le poulet (ou le poisson) est alors imprégné d'une délicieuse saveur. Je le sers avec la sauce Romesco.

À la vapeur: faites un lit de feuilles de géranium dans une marguerite ou un panier en métal, déposez le poulet dessus, salez, poivrez, recouvrez de feuilles de géranium et faites cuire à la vapeur, jusqu'à cuisson complète.

Au micro-ondes: posez le poulet sur les feuilles, salez, poivrez, recouvrez de feuilles de géranium. Ajoutez 2 c. à soupe d'eau (ou de vin blanc). Couvrez et faites cuire 5-7 minutes selon l'épaisseur du poulet.

Sauce Romesco

J'ai découvert cette sauce en Espagne, où elle est servie avec des calçots, de jeunes poireaux rôtis dans un feu. La peau extérieure des poireaux noircit et l'intérieur devient tendre et presque crémeux. On tient le poireau entre le pouce et l'index d'une main et avec l'autre main, on extrait délicatement le milieu en tirant sur le bout des feuilles. Puis on trempe le poireau dans la sauce Romesco. Fabuleux!

INGRÉDIENTS

- 4 poivrons rouges
- 1 petit piment fort frais (type chili)
- 2 têtes d'ail
- 1/2 tasse d'huile d'olive
- Sel, poivre

Disposez les poivrons et le piment dans un plat allant au four et faites cuire au four préchauffé à 190 °C (375 °F) en les tournant régulièrement jusqu'à ce que la peau soit grillée et noircie par endroit, environ 1 heure. Laissez refroidir légèrement, enlevez la peau et les graines.

En même temps que les poivrons, faites cuire l'ail. Pelez les gousses et placez-les dans un petit plat allant au four, couvrez avec l'huile d'olive et enveloppez le plat d'une feuille d'aluminium. L'ail devrait être tendre lorsque les poivrons sont cuits.

Combinez les filets de poivron et de piment, et l'ail dans le bol d'un robot culinaire ou d'un mélangeur, réduisez en crème. Salez, poivrez au goût. Ajoutez un peu d'huile de cuisson de l'ail si le mélange est trop épais. Ou gardez celle-ci pour assaisonner des salades et des entrées.

DONNE ENVIRON 2 TASSES.

Note: La sauce Romesco se congèle très bien.

Le géranium odorant

Le géranium odorant n'est pas un vrai géranium, mais un membre de la famille des pélargoniums. Il en existe avec des senteurs de citron vert, de chocolat, de noix de coco, tous comestibles, mais je n'utilise que celui à odeur de citron, que l'on appelle aussi géranium citronnelle.

Durant l'été, je le cultive dans le jardin, car c'est une jolie plante d'ornement. Je récolte les feuilles tendres tout au long de la saison, pour utiliser fraîches ou pour congeler (crues dans des sacs de plastique). Comme le géranium est une vivace tendre, je cultive également un plant dans un grand pot, que je rentre à l'automne, dans une pièce fraîche et très éclairée et qui me servira pour faire des boutures le printemps suivant.

Poulet en crapaudine, farci aux herbes

Vous aurez remarqué que la gastronomie fait grand cas des titres ronflants et alambiqués. En «crapaudine» réfère à une volaille fendue et aplatie comme un crapaud. Une jolie façon, malgré le nom, de présenter le poulet.

INGRÉDIENTS

- 1 poulet de 1,5 kg environ
- 100 g de fromage feta
- 3 c. à soupe d'herbes fraîches ou 1 c. à soupe d'herbes séchées (au choix)
- Huile d'olive
- 1 oignon émincé
- 10 gousses d'ail
- Sel, poivre

Préchauffez le four à 190 °C (375 °F).

Avec des ciseaux de cuisine ou un couteau bien aiguisé, coupez la carcasse de chaque côté de la colonne vertébrale, retirez celle-ci, retournez le poulet et aplatissez-le. Pincez la peau en plusieurs endroits pour la rendre souple puis glissez la main entre la peau et les poitrines pour la détacher.

Écrasez le feta avec une fourchette et mélangez-le avec les herbes et une cuillerée à soupe d'huile d'olive pour obtenir une pâte ferme. Étendez la farce sous la peau du poulet en prenant soin de ne pas la déchirer.

Dans un plat allant au four, versez un filet d'huile d'olive et quelques cuillerées d'eau ou de vin blanc, mettez l'oignon et l'ail, déposez le poulet dessus. Badigeonnez la peau avec de l'huile d'olive, salez, poivrez. Couvrez avec une feuille d'aluminium et faites cuire au four pendant 45 minutes. Retirez la feuille d'aluminium et poursuivez la cuisson jusqu'à ce que le poulet soit bien doré, environ 30 minutes. Servez avec des petits légumes de saison.

Pot-au-feu de poulet à la livèche

Voilà un plat réconfortant prêt en moins de 30 minutes avec un autocuiseur.

FARCE

- 2 tasses d'épinards ou de chou frisé haché cru
- 1/2 tasse de riz cru
- 1 œuf
- 1 c. à soupe de sel
- 2 c. à soupe d'herbes hachées
- 1 poulet de 1,5 kg
- 2 tasses d'eau
- 4 petits navets
- 4 carottes
- 2 pommes de terre
- 2 branches de livèche
- 1 feuille de laurier
- Sel, poivre

Mélangez les ingrédients de la farce et remplissez la cavité du poulet sans tasser car le riz gonflera à la cuisson. Fermez l'ouverture avec de la ficelle ou des petites baguettes de bambou.

Placez le poulet et le reste des ingrédients dans un autocuiseur et faites cuire 15 minutes. Si vous n'avez pas d'autocuiseur, faites mijoter le poulet dans l'eau avec la livèche et le laurier dans un faitout conventionnel pendant 1 h.

Ajoutez les légumes et terminez la cuisson, environ 30 minutes.

Pour vérifier si le poulet est cuit, piquez entre la poitrine et la cuisse avec un couteau pointu. Le jus devrait ressortir clair.

Servez d'abord le bouillon avec des croûtons et du parmesan râpé, puis le poulet et les légumes avec une sauce gribiche ou Romesco (page 84).

Sauce gribiche

INGRÉDIENTS

- 1 œuf dur
- 1 c. à soupe de vinaigre aromatisé à l'estragon ou de jus de citron
- 1 c. à soupe de moutarde forte
- 1 tasse d'huile d'olive
- 1 c. à soupe de chaque herbe (persil, cerfeuil, estragon, basilic, livèche) hachée finement
- 1 c. à soupe de câpres hachées

Écrasez le jaune d'œuf et mélangez avec le vinaigre et la moutarde. Ajoutez l'huile en fouettant comme pour une mayonnaise. Lorsque la sauce est montée, incorporez les herbes, les câpres et le blanc d'œuf haché finement.

La sauce gribiche accompagne bien les pot-au-feu et la langue.

La livèche

Au jardin, elle est la première à montrer sa tête au printemps et la dernière à s'endormir pour l'hiver. Tout au long de la belle saison, elle fournit de savoureuses feuilles qui conservent tout leur parfum à la congélation comme au séchage.

Ses grandes tiges creuses peuvent servir de paille pour boire des boissons fraîches et ses graines servent de condiment.

Alors, pourquoi est-elle si peu connue? Mystère!

Il n'en a pas toujours été ainsi. Les Grecs et les Romains se servaient abondamment de la livèche en cuisine et au Moyen âge, elle était reconnue pour ses vertus médicinales. Aujourd'hui, elle réapparait peu à peu dans les jardins.

Vivace de la famille des ombellifères, la livèche est une plante à croissance rapide qui se transforme en buisson verdoyant en quelques années. Son port imposant fait bel effet à l'arrière d'une plate-bande de fleurs comme dans un coin du potager. Ses racines profondes la rendent difficile à transplanter aussi choisissez son emplacement avec soin. Et donnez-lui beaucoup d'espace.

La livèche a un feuillage dentelé comme celui du céleri et son goût aussi est similaire, mais en plus

prononcé. Utilisez-la donc avec parcimonie.

Quelques feuilles transforment une banale soupe de légumes en un minestrone de classe. Fraîches, elles agrémentent les salades, parfument les sauces, les ragoûts, les farces. Elles se marient bien avec les poissons, surtout le saumon.

Lorsque la plante atteint une taille importante, elle commence à fleurir, produisant une ou plusieurs ombelles. Récoltez les fruits quand ils sont verts pour les faire congeler, quand ils sont bruns pour les faire sécher.

Mélangez des graines de livèche séchées et écrasées avec du sel pour remplacer le sel de céleri.

Utilisez les graines congelées pour parfumer du bouillon de poulet ou de légumes, des courts-bouillons et des sauces pour le poisson.

Gigot d'agneau farci au feta et au pesto

INGRÉDIENTS

- 1 gigot d'agneau (2,5 kg environ)
- 8 gousses d'ail
- 100 g de feta crémeux ou de fromage de chèvre
- 1/2 tasse de pesto aux tomates rôties (voir page 54)
- 1 oignon, émincé
- Huile d'olive
- Sel, poivre
- Fines herbes

Demandez à votre boucher d'enlever le fémur du gigot.

Préchauffez le four à 200 °C (400 °F).

Pelez les gousses d'ail, faites des incisions dans la chair du gigot avec un couteau pointu et insérez l'ail.

Mélangez le fromage écrasé avec le pesto. Farcissez l'intérieur du gigot avec cette pâte (gardez-en 2 cuillerées à soupe). Fermez avec du fil de cuisine ou des petites baguettes de bambou (pour brochettes).

Étalez l'oignon émincé au fond d'une lèchefrite et versez 1/4 de tasse d'eau. Disposez le gigot dessus. Badigeonnez l'extérieur avec le reste de pâte au fromage et au pesto, arrosez d'huile d'olive, salez, poivrez et saupoudrez de fines herbes.

Enfournez et faites cuire 15 minutes. Baissez le feu à 180 °C (350 °F) et poursuivez la cuisson pendant 45 minutes à 1 h — l'agneau doit rester rosé — en ajoutant de l'eau dans la lèchefrite pour empêcher le fond de brûler. Laissez reposer la viande 5 minutes avant de la couper.

Servez avec de l'ail en chemise.

Ail en chemise

Voici la façon la plus simple et la plus savoureuse de déguster l'ail dans toute sa douceur.

INGRÉDIENTS

- 4 têtes d'ail
- Huile d'olive
- Sel, poivre

Préchauffez le four à 190 °C (375 °F).

Coupez le sommet des têtes d'ail sans les peler. Déposez quelques brins de romarin dans un plat allant au four*, placez les têtes d'ail dessus, arrosez d'un filet d'huile d'olive, salez, poivrez. Enveloppez le plat d'une feuille d'aluminium et faites cuire au four pendant 20 à 25 minutes jusqu'à ce que l'ail soit doré et tendre.

Pour déguster, retirez l'ail de son enveloppe, tartinez sur des tranches de pain grillé.

** Il se vend des plats en terre cuite conçus spécialement pour la cuisson de l'ail.*

Jarrets d'agneau à la compote d'oignons et de pommes

INGRÉDIENTS

- Huile d'olive
- 4 jarrets d'agneau, 350 à 400 g chacun
- 4 gros oignons, émincés
- 1 tasse de jus de pomme
- 4 brins de romarin
- 1 pomme pelée et coupée en tranches
- Sel, poivre

Préchauffez le four à 180 °C (350 °F). Faites chauffer un peu d'huile d'olive dans une poêle et faites dorer les jarrets de tous les côtés. Transférez les jarrets dans un grand plat allant au four.

Ajoutez un peu d'huile dans la poêle si nécessaire et faites revenir les oignons jusqu'à ce qu'ils soient transparents. Transférez dans le plat avec les jarrets.

Glissez les brins de romarin entre les jarrets, mouillez avec le jus de pomme, salez et poivrez légèrement. Couvrez et faites cuire au four pendant 1 h 30 ou jusqu'à ce que les jarrets soient cuits.

Versez le jus de cuisson dans une petite casserole (gardez les jarrets au chaud) et faites réduire du tiers à feu vif. Ajoutez la pomme et faites-la pocher à feu moyen 5 à 10 minutes selon la variété jusqu'à ce qu'elle soit tendre. Rectifiez l'assaisonnement.

Dressez les jarrets sur la compote d'oignon, disposez les pommes autour et nappez de sauce. Servez avec une céréale rustique, comme du kacha, de l'orge, du riz brun ou de la polenta.

Le romarin

Son nom latin signifie «rosée de mer», peut-être parce que le romarin, natif de la Méditerranée, affectionne les embruns maritimes ou parce que ses fleurs d'un bleu lumineux rappellent l'azur de la mer. Célèbre depuis l'Antiquité pour ses vertus thérapeutiques, il était pour les Grecs le symbole de l'immortalité, du souvenir, de la fécondité et de la loyauté.

Isabelle, reine de Hongrie, lui doit d'avoir retrouvé jeunesse et santé. La septuagénaire préparait elle-même l'élixir de jouvence à base d'essences de lavande, de romarin et de menthe Pouliot qui prit le nom d'Eau de la Reine de Hongrie et connut une vogue extraordinaire au XVIIIe siècle. Madame de Sévigné en faisait grande consommation.

Le romarin stimule le système nerveux. Il remonte le moral des déprimés et renforce la mémoire. Tonique, il aide la digestion et le bon fonctionnement du foie. Il est aussi antiseptique.

En cuisine, le romarin accompagne bien les viandes grillées ou rôties, surtout l'agneau, et les plats mijotés. Il parfume agréablement les

marinades pour le gibier, les huiles, les vinaigres et les gelées. À cause de son goût puissant, il doit être utilisé avec discrétion, surtout lorsqu'il est associé avec d'autres herbes.

Frais, le romarin se conserve longtemps au réfrigérateur dans un sac en plastique scellé. Séché, il garde tout son arôme.

Abondant en Provence et tout le long du littoral méditerranéen, le romarin aime le soleil, la chaleur et les sols calcaires. Il pousse très bien dans nos jardins durant l'été, mais ne résiste pas à des hivers rigoureux. La plante peut cependant être rentrée dans la maison à l'automne, où elle fleurira abondamment pendant tout l'hiver.

Parce que le romarin supporte mal la transplantation, il est préférable de le cultiver dans un grand pot si on désire le conserver pendant plusieurs années (une amie possède un romarin vieux de 10 ans, un record semble-t-il).

La sauge

«Homme, pourquoi meurs-tu quand il y a de la sauge dans ton jardin?» Dicton du Moyen âge attribué à Trotula, femme médecin et membre de l'école de Salerne.

Le nom de la plante vient du latin *salvus*, qui veut dire «sauvé ou sauf» et fait allusion à ses propriétés thérapeutiques. La sauge a en effet une solide réputation médicinale et a longtemps été utilisée comme remède avant de prendre sa juste place dans la cuisine.

Herbe sacrée pour les Romains, herbe magique pour les Celtes, la sauge était prisée des Arabes et aussi des Chinois qui, au XVIIIe siècle, échangeaient volontiers deux caisses de thé pour une de sauge. Au Moyen âge, les gens croyaient qu'elle pouvait guérir tous les maux, protéger des mauvais sorts et même ressusciter les morts.

Saltimbocca

INGRÉDIENTS

- 4 escalopes de veau
- 4 tranches de prosciutto
- 8 feuilles de sauge fraîche
- 1 c. à soupe d'huile d'olive
- 1 tasse de champignons blancs en quartiers
- 1/4 tasse de vin blanc sec ou de vermouth blanc sec (Noilly Prat)
- 1/4 tasse de crème à 35 %
- Sel, poivre

Aplatissez les escalopes. Déposez sur chacune une tranche de prosciutto et 2 feuilles de sauge. Roulez et fixez à l'aide de cure-dents.

Faites chauffer l'huile dans une poêle et faites saisir les roulés (saltimbocca) de tous les côtés, 1 minute. Ajoutez les champignons et le vin blanc. Salez, poivrez, couvrez et laissez mijoter 8-10 minutes.

Retirez les roulés et les champignons et gardez au chaud. Faites réduire le jus de cuisson à feu vif, jusqu'à ce qu'il soit sirupeux. Ajoutez la crème, réchauffez quelques secondes en remuant et versez sur les saltimbocca.

Servez avec de l'orzo ou du riz.

DONNE 2 PORTIONS.

Variante: remplacez la sauge par de la marjolaine fraîche.

Depuis longtemps et pour de nombreux peuples donc, la sauge est la plante médicinale par excellence. Pour les gourmets, elle est l'aromate de choix des viandes grasses — oie, canard, porc — et de la charcuterie. Les Britanniques l'emploient dans les farces et pour fabriquer le fromage «derby». Les Allemands l'associent volontiers aux anguilles. Les Italiens en parfument le veau.

Originaire du bassin méditerranéen, la sauge est une fort jolie plante au feuillage gris argenté et aux petites fleurs bleues. Elle aime le soleil et un sol léger, calcaire et bien drainé. Vivace tendre, elle ne résiste pas toujours aux hivers rigoureux. Pour augmenter ses chances de survie, plantez-la en bordure de la maison et recouvrez-la d'un paillis à l'automne. Une autre option est de la cultiver dans un pot afin de pouvoir la rentrer à l'intérieur durant l'hiver, dans un endroit frais et ensoleillé.

Il existe plusieurs variétés de sauge sur le marché: ananas, tricolore, dorée et pourpre. Ces curiosités horticoles sont cultivées plus pour leur feuillage décoratif que pour leur utilité culinaire. La sauge ananas produit de très jolies fleurs rouge vif.

Mûres à la monarde

Je compose ce dessert spectaculaire en faisant une promenade pour me mettre en appétit.

N'oubliez pas de couper le pédoncule vert et de retirer le pistil et les étamines de l'intérieur des fleurs avant de les garnir de mûres.

Je récolte d'abord de belles mûres sauvages gorgées de saveur dans le champ derrière la maison. En revenant, je cueille les glaïeuls dans le potager et des fleurs de monarde dans les plates-bandes.

Un peu de crème fouettée et voilà!

Salade de fruits à la monarde

Les pétales de monarde ont un goût puissant, poivré et épicé qui accompagne aussi bien les côtelettes d'agneau (page 73) que les salades de fruits.

Ici, j'ai combiné trois variétés de melons et des framboises. Dans un mortier, j'ai écrasé une poignée de pétales de monarde avec du sucre et saupoudré les fruits avec ce sucre parfumé. Une heure au frais, quelques pétales entiers comme décoration et voilà un dessert simple, élégant, aux saveurs originales.

Sablés à la monarde

INGRÉDIENTS

- 2 tasses de farine
- 2 c. à soupe de sucre
- 1/2 c. à soupe de levure chimique (poudre à pâte)
- Pincée de sel
- 1/2 tasse de pétales de monarde
- 1 œuf
- 1/3 tasse de babeurre
- 1/3 tasse de beurre fondu

Préchauffez le four à 200 °C (400 °F).

Mélangez la farine, le sucre, la levure chimique (poudre à pâte), le sel et les pétales de monarde.

Battez ensemble l'œuf, le babeurre et le beurre fondu. Ajoutez aux ingrédients secs et mélangez jusqu'à l'obtention d'une pâte souple.

Étendez la pâte sur une épaisseur de 2 cm. Découpez des biscuits avec un emporte-pièce et disposez-les sur une plaque à biscuits.

Faites cuire pendant 15 minutes ou jusqu'à ce que les sablés soient légèrement dorés. Transférez sur une grille pour refroidir. Servez avec la confiture de fraises à la monarde.

DONNE 12-18 BISCUITS.

Confiture de fraises à la monarde

INGRÉDIENTS

- 4 tasses de fraises écrasées
- 3 tasses de sucre
- 1/2 tasse de pétales de monarde

Mettez les fraises et le sucre dans une grande casserole à fond épais et portez lentement à ébullition. Faites cuire à feu moyen tout en remuant jusqu'à consistance de confiture (environ 30 minutes). Ajoutez la monarde en fin de cuisson.

Écumez si nécessaire et versez dans des bocaux chauds et stérilisés. Scellez.

DONNE ENVIRON 4 BOCAUX DE 250 ML.

Variante: remplacez la monarde par de l'estragon.

Gâteau valentin

Pour cette recette, je préfère les feuilles de géranium congelées plutôt que fraîches. Réduites en miettes au robot culinaire, elles ont une fine texture cristallisée et fondent à la cuisson.

INGRÉDIENTS

- 2/3 tasse de sucre
- 1/3 tasse de beurre mou
- 3 œufs, séparés
- 1/4 tasse de feuilles de géranium congelées émiettées finement
- 1 tasse de farine
- 1 c. à soupe de levure chimique (poudre à pâte)
- 1 pincée de sel
- 1/2 tasse lait

GARNITURE

- 3/4 tasse de crème à 35 %
- 2 c. à soupe de sucre
- 1 c. à soupe de kirsch (facultatif)
- 1/2 tasse d'amandes effilées grillées

Préchauffez le four à 190 °C (375 °F).

Beurrez un moule en forme de cœur.

Battez le sucre et le beurre jusqu'à ce que le mélange soit crémeux. Ajoutez les jaunes d'œuf puis le géranium.

Combinez la farine, la levure chimique (poudre à pâte) et le sel. Incorporez au mélange en alternant avec le lait et en battant.

Montez les blancs d'œufs en neige avec la pincée de sel. Incorporez délicatement. Versez dans le moule et faites cuire 35 minutes ou jusqu'à ce qu'un cure-dent inséré au milieu ressorte propre. Démoulez et laissez refroidir sur une grille.

Fouettez la crème jusqu'à ce qu'elle forme des pics mous, ajoutez le sucre et le kirsch et continuez de fouetter jusqu'à ce qu'elle soit ferme. À l'aide d'une palette, étendez un peu de crème fouettée sur le dessus et les bords du gâteau. Saupoudrez d'amandes effilées.

Servez avec un coulis de fraises ou de framboises.

DONNE 6-8 PORTIONS.

Coulis:
Écrasez 2-3 tasses de petits fruits ou réduisez en purée au robot culinaire. Passez la purée à travers un fin tamis pour retirer les graines. Additionnez de sucre au goût.

Crêpes au sureau

Si les fleurs et les fruits mûrs du sureau sont comestibles, les parties vertes (tiges, feuilles et fruits verts) sont toxiques.

INGRÉDIENTS

- 8 ombelles de fleurs de sureau
- 1 tasse de lait
- 1 œuf
- 1/2 tasse de farine
- Pincée de sel
- 1 c. à soupe de sucre
- 1 c. à thé de vanille
- 1 c. à soupe d'huile pour la pâte + huile pour la cuisson

Détachez les fleurs de la hampe florale.

Mélangez tous les ingrédients de la pâte sauf les fleurs, laissez reposer 1 heure au moins au réfrigérateur.

Ajoutez les fleurs et délayez la pâte avec un peu de lait si elle est trop épaisse. Elle doit napper le dos d'une cuillère.

Huilez légèrement une poêle antiadhésive. Versez un peu de pâte et faites cuire 1 minute de chaque côté. Répétez jusqu'à épuisement de la pâte.

Servez les crêpes saupoudrées de sucre.

DONNE 8-10 CRÊPES.

Muffins aux fleurs de sureau

Les fleurs de sureau peuvent être séchées et utilisées pour parfumer les muffins et les gâteaux. Retirez les fleurs des branches, étalez-les sur un grillage très fin (moustiquaire) et faites sécher à l'ombre et au sec. Gardez dans des pots en verre à l'abri de la lumière.

INGRÉDIENTS

- 2 œufs
- 1 tasse d'huile
- 1 tasse de sucre brun
- 2 tasses de farine
- 1 tasse de lait
- 1/2 c. à thé d'essence de vanille
- 1 tasse de fleurs de sureau séchées
- 2 tasses de farine
- 1/2 c. à soupe de levure chimique (poudre à pâte)
- 1/2 c. à thé de sel

Préchauffez le four à 190 °C (375 °F).

Dans un robot culinaire ou à l'aide d'un batteur électrique, battez les œufs et ajoutez l'huile en filet comme pour une mayonnaise.

Ajoutez le sucre, le lait, la vanille et les fleurs. Mélangez bien.

Combinez la farine avec la levure chimique (poudre à pâte) et le sel, incorporez au mélange précédent et mélangez bien.

Versez dans des moules à muffins huilés. Faites cuire pendant 25-30 minutes jusqu'à ce que le dessus soit doré.

DONNE 12 MUFFINS.

Crème anglaise à la verveine

J'adore la crème anglaise mais le nombre de jaunes d'œufs qu'elle nécessite m'a toujours horrifiée. J'ai donc concocté cette version qui me semble plus saine et aussi plus rapide à préparer.

INGRÉDIENTS

2 tasses de lait
1/4 tasse de feuilles de verveine
2 œufs
1/2 tasse de sucre
1 c. à soupe de fécule de maïs

Infusez les feuilles de verveine dans le lait pendant 15 minutes à feu doux. Filtrez.

Battez ensemble les œufs, le sucre et la fécule, ajoutez le lait tiède en battant. Remettez dans la casserole et faites cuire à feu doux en tournant avec une cuillère de bois jusqu'à ce que la crème épaississe. Ne laissez pas bouillir.

Variante: remplacez la verveine par du géranium odorant ou parfumez la crème avec de l'eau de fleur d'oranger.

DONNE 2 TASSES.

Truc: pour éviter la formation d'une «peau» quand la crème refroidit, couvrez sa surface avec une pellicule de plastique.

Tartelettes aux petits fruits

En doublant la quantité de fécule de maïs (2 c. à soupe), la crème anglaise devient une crème pâtissière, plus ferme et qui convient bien à la confection de ces savoureuses tartelettes aux fruits de saison.

Dans des fonds de tarte cuits, versez la crème quand elle est encore tiède. Laissez refroidir et garnissez de framboises, bleuets, fraises... selon la saison.

Tartelettes aux petits fruits

Gratin de petits fruits

Voici un dessert raffiné qui enchante toujours mes invités. J'emploie de préférence des fruits congelés pour la sensation surprenante du chaud-froid.

INGRÉDIENTS

- 2-3 tasses de petits fruits frais ou congelés (fraises, framboises, mûres, bleuets)
- 1 tasse de crème à la verveine
- Sucre

Répartissez les fruits dans 4 ramequins ou petits plats, couvrez de crème, saupoudrez de sucre et passez sous le gril jusqu'à ce que le dessus commence à dorer.

DONNE 4 PORTIONS.

Gateau de riz à la verveine

INGRÉDIENTS

- 3/4 tasse de riz (110 g)
- 2 branches de verveine
- 1 tasse de lait
- 1/2 tasse de sucre
- 3 œufs

CARAMEL

- 100 g de sucre
- 1 c. à soupe d'eau
- 1 c. à soupe de jus de citron

Préchauffez le four à 190 °C (375 °F).

Faites cuire le riz dans 2 tasses d'eau pendant 10 minutes. Il doit être partiellement cuit mais encore ferme. Égouttez.

Pendant ce temps, infusez les feuilles de verveine dans le lait. Filtrez.

Combinez le riz, le lait, le sucre, les œufs et mélangez bien. Réservez.

Faites un caramel blond avec l'eau, le sucre et le jus de citron. Mettez tous les ingrédients dans une petite casserole et faites cuire à feu moyen sans remuer. Versez dans un plat à cuisson pour enduire les parois. Ou mettez les ingrédients dans le plat à cuisson — un moule à soufflé en céramique ou en verre — et faites cuire à micro-ondes pendant 5-8 minutes à maximum.

Faites tourner le caramel dans le plat pour enduire les parois. Attention de ne pas vous brûler, c'est très chaud.

Versez le mélange de riz dans le moule caramélisé. Posez celui-ci dans un plat contenant 2 cm d'eau et faites cuire au four pendant 30 minutes ou jusqu'à ce que le milieu soit ferme. Laissez refroidir avant de démouler.

DONNE 6-8 PORTIONS.

Gratin de petits fruits

Tarte aux pommes et basilic citron

Des pommiers sauvages poussent en abondance dans mes alentours. Leurs fruits rouges ou jaunes, ronds ou ovales sont fermes, croquants, légèrement acides et avec des saveurs de poires, de pêches.

J'en fais principalement des compotes. Comme les fruits n'ont pas subi de traitement chimique, je les fais cuire sans les peler avec très peu d'eau et je les passe au moulin à légumes pour enlever peau et pépins et obtenir une texture soyeuse.

Bien sûr, je les parfume avec des fleurs et des herbes: la monarde, l'estragon et mon favori, le basilic citron.

Je fais également des pommes sautées au beurre que je présente dans un écrin de pâte filo.

INGRÉDIENTS

- 2 c. à soupe de beurre
- 6 tasses de pommes, pelées et en quartiers
- 1/2 tasse de sucre (ou plus)
- 1/4 tasse de basilic citron, émincé
- 4 feuilles de pâte filo
- Beurre fondu + sucre
- 1/4 tasse d'amandes effilées grillées

Faites fondre le beurre dans une grande poêle antiadhésive. Faites-y revenir les pommes à feu moyen pendant 3-4 minutes en remuant.

Saupoudrez de sucre et continuez la cuisson jusqu'à ce que les pommes soient cuites mais encore entières. Ajoutez le basilic en fin de cuisson. Mélangez bien. Réservez.

Préchauffez le four à 200 °C (400 °F).

Étalez une feuille de pâte filo — gardez le reste sous un linge humide — et badigeonnez de beurre fondu, saupoudrez légèrement de sucre et couvrez d'une autre feuille de pâte filo. Répétez.

Placez la pâte filo dans un moule à tarte ou un moule à charnière de 20 cm de diamètre. Garnissez l'intérieur avec les pommes sautées, saupoudrez d'amandes effilées et faites cuire 15 minutes ou jusqu'à ce que les bords de la pâte soient dorés.

Servez tiède avec la crème anglaise à la verveine (page 104).

DONNE 4-6 PORTIONS.

Clafoutis chocolat-menthe-framboises

INGRÉDIENTS

- 3 tasses de framboises fraîches ou congelées
- 1/2 tasse de farine
- 1 c. à thé de levure chimique (poudre à pâte)
- 1 c. à thé de bicarbonate de soude
- 1/4 tasse de cacao pur en poudre
- 2 œufs, séparés
- Pincée de sel
- 1/4 tasse de beurre mou
- 1/2 tasse de sucre
- 60 g (2 carrés) de chocolat mi-amer, fondu
- 1 c. à soupe de menthe fraîche émincée
- 1/4 tasse de babeurre ou de yogourt

Préchauffez le four à 190 °C (375 °F).

Beurrez un moule de 20 x 30 cm, saupoudrez de sucre et couvrez le fond avec les framboises.

Mélangez la farine, la levure chimique (poudre à pâte), le bicarbonate et le cacao. Battez les blancs d'œufs avec la pincée de sel jusqu'à ce qu'ils soient fermes.

Battez ensemble les jaunes d'œufs, le beurre et le sucre jusqu'à ce que le mélange soit pâle et crémeux. Ajoutez le chocolat fondu et la menthe. Mélangez bien. Ajoutez les ingrédients secs en alternant avec le babeurre. Avec une spatule, incorporez délicatement les blancs d'œufs.

Étalez le mélange sur les framboises et faites cuire 40-45 minutes jusqu'à ce que le centre soit ferme au toucher.

Servez tiède avec de la crème.

DONNE 6-8 PORTIONS.

Truc: vous pouvez utiliser les framboises sans les décongeler.

Gelée de pommettes à la lavande

Le jus de pommettes comme de pommes fait la meilleure base pour les gelées d'herbes ou de fleurs. Le haut taux de pectine fait prendre la gelée en quelques minutes de cuisson, si vite en fait qu'il faut être très vigilant. Et le goût faible des jus ne fait pas ombrage aux essences parfumées qui le rehaussent.

Le jus de pommettes fait des gelées d'une belle couleur rubis, le jus de pomme leur donne une teinte ambrée.

INGRÉDIENTS

- 2 kg de pommettes
- 1 tasse d'eau
- 2 1/2 tasses de sucre
- 2 c. à soupe de fleurs de lavande fraîches

Faites cuire les pommettes entières avec l'eau dans un grand faitout (20 minutes) ou à l'autocuiseur (2 minutes) jusqu'à ce qu'elles soient très tendres.

Versez les fruits et leur jus dans un sac à gelée ou une passoire tapissée de coton à fromage ou de mousseline. Pour ma part, j'utilise une vieille taie d'oreiller. Laissez le jus s'égoutter dans un bol toute la nuit. Ne pas presser le sac sinon la gelée ne serait pas transparente.

Mesurez le liquide et ajoutez un peu d'eau si nécessaire pour obtenir 3 tasses.

Combinez le jus et le sucre, portez lentement à ébullition en remuant constamment, ajoutez les fleurs et faites cuire à gros bouillons pendant 5 à 8 minutes jusqu'à consistance de gelée.

Versez dans des pots chauds et stérilisés. Scellez.

DONNE ENVIRON 3 BOCAUX DE 250 ML.

Truc: pour connaître le point de gelée, vous pouvez utiliser un thermomètre à cuisson, pas toujours efficace selon mon expérience, ou attendre que la gelée fasse «nappe en tombant de la cuillère» comme disent les recueils de confiture, ce qui n'est pas toujours facile à évaluer (en fait, il faut que les gouttes se rencontrent sur le bord de la cuillère). Voilà comment je procède: Je verse un peu de gelée dans une assiette que j'ai préalablement mise au congélateur plusieurs minutes. La gelée devient solide au contact de l'assiette très froide. Si la peau plisse quand je touche la gelée, c'est qu'elle est prête. On peut aussi mélanger 1 c. à thé d'alcool à fondue et 1 c. à thé de gelée. Si elle est prête, elle s'agglutine.

Variante: gelée au romarin. Ajoutez 1/4 tasse de vinaigre balsamique ou de vinaigre de cidre et remplacez la lavande par 6 brins de romarin. Utilisez cette gelée pour parfumer des sauces de viande.

Les limonades

La menthe, la mélisse, la verveine, le géranium odorant, le basilic citron et même les feuilles de capucine font de délicieuses limonades.

Il suffit de verser de l'eau chaude, mais pas bouillante, sur les feuilles fraîches (menthe, mélisse, verveine ou un mélange de celles-ci), d'infuser une dizaine de minutes et de filtrer. Ajoutez du sucre au goût, des tranches de citron ou de limette et des feuilles pour décorer. Servez frais.

Les limonades au géranium odorant, au basilic citron et aux feuilles de capucine se font au mélangeur. Mélangez 1 tasse de feuilles avec 3 tasses d'eau, réduisez en purée à haute vitesse, filtrez. Sucrez et servez frais.

Les infusions

Les infusions de menthe, de mélisse et de verveine sont excellentes pour la digestion. J'ajoute à celles-ci l'infusion de basilic cannelle et de basilic citron. Et pour une tisane aux mille parfums, pourquoi ne pas mélanger toutes ces herbes?

À la camomille, je préfère l'infusion de marguerite, de matricaire (excellente pour les maux de tête) et d'achillée.

Enfin, bien que ce ne soit pas une herbe aromatique, je ne peux passer sous silence l'infusion d'ortie, riche en minéraux. J'en fais une cure d'une dizaine de jours —1 tasse à jeun le matin —, tôt au printemps, quand mon corps affaibli par l'hiver a besoin d'un remontant.

Je récolte les jeunes pousses d'ortie (avec des gants et des manches longues car le contact de la plante irrite la peau) lorsqu'elles ont une quinzaine de centimètres de hauteur. Je les fais sécher sur un grillage, au sec et à l'ombre, dans mon grenier. Une fois séchée, l'ortie n'est plus irritante.

Index

Des poids, des volumes — une mesure

La logique voudrait que les ingrédients solides (farine, sucre, beurre...) soient indiqués en poids (grammes). Mais tout le monde n'a pas une balance à portée de la main.

J'ai donc choisi de vous présenter les mesures selon le système le plus pratique que je connaisse, celui des tasses et des cuillerées. J'ai fait quelques exceptions et indiqué certains ingrédients en poids — les viandes, les fromages, notamment — pour faciliter les achats.

Équivalences: 1 tasse = 250 ml 1 cuillerée à soupe = 15 ml 1 cuillerée à thé = 5 ml

Données de catalogage avant publication (Canada)
Disponibles à la Bibliothèque nationale du Québec

Nous reconnaissons l'aide financière du gouvernement du Canada par l'entremise du Programme d'Aide au Développement de l'Industrie de l'Édition (PADIÉ) ainsi que celle de la SODEC pour nos activités d'édition.

Conception graphique: Christiane Séguin
Révision: Andrée Laprise
Dépôt légal 3e trimestre 2000
Bibliothèques nationales du Québec et du Canada
ISBN 2-89455-094-4

DISTRIBUTION ET DIFFUSION
Amérique
Prologue, 1650, boul. Lionel-Bertrand, Boisbriand (Québec) Canada J7H 1N7. (450) 434-0306.
France (Diffusion)
C.E.D. Diffusion, 73, Quai Auguste Deshaies, 94854 Ivry/Seine, France. (1) 46.58.38.40.
France (Distribution)
Société nouvelle Distique, 5, rue Maréchal Leclerc, 28600 Luisant, France. (2) 37.30.57.00.
Belgique
Vander s.a., 321 Avenue des Volontaires, B-1150 Bruxelles, Belgique. (2) 761.12.12.
Suisse
Transat s.a., Rte des Jeunes, 4 ter, case postale 125, 1211 Genève 26, Suisse. 342.77.40.

Guy Saint-Jean Éditeur inc.
3172, boul. Industriel, Laval (Québec) Canada. H7L 4P7. (450) 663-1777.

Guy Saint-Jean Éditeur France
83 Avenue André Morizet, 92100 Boulogne, France. (1) 55.60.08.28.

Imprimé et relié au Canada